cyflwyniad i Ymdopi â Gorbryder

2il Argraffiad

Brenda Hogan
a Lee Brosan

Cyhoeddwyd gyntaf ym Mhrydain yn 2018
gan Robinson un o isgwmnïau
Little, Brown Book Group, Carmelite House,
50 Victoria Embankment, Llundain EC4Y 0DZ

Cwmni Hachette UK
www.hachette.co.uk
www.littlebrown.co.uk
www.overcoming.co.uk

Dymuna'r cyhoeddwyr gydnabod cymorth ariannol
Cyngor Llyfrau Cymru

Mae cofnod catalog CIP ar gyfer
y llyfr hwn ar gael o'r Llyfrgell Brydeinig.

Nodyn pwysig
Ni fwriedir i'r llyfr hwn gymryd lle cyngor neu driniaeth feddygol. Dylai unrhyw un sydd â chyflwr sy'n gofyn am sylw meddygol ymgynghori ag ymarferydd meddygol cymwys neu therapydd addas.

ISBN: 978 1 78461 763 9

Cyhoeddwyd a rhwymwyd gan
Y Lolfa Cyf., Talybont, Ceredigion SY24 5HE
gwefan www.ylolfa.com
e-bost ylolfa@ylolfa.com
ffôn 01970 832 304
ffacs 832 782

Cynnwys

Bwriad y llyfr hwn

Mae'r rhan fwyaf ohonom yn teimlo'n orbryderus ar adegau penodol yn ein bywydau bob dydd – er enghraifft, pan fyddwn ni'n teimlo'n ofnus neu dan fygythiad mewn rhyw sefyllfa arbennig, ac yn meddwl na allwn ni ddelio'n effeithiol â hi. Mae sefyll arholiad pwysig, mynd i gyfweliad am swydd neu wneud araith gyhoeddus ymhlith y sefyllfaoedd sy'n achosi i bobl orbryderu. Fel arfer, wrth i'r sefyllfa basio, mae'r gorbryder yn diflannu. Er bod pawb yn teimlo'n orbryderus o dro i dro, i rai ohonom, gall ein gorbryder deimlo'n annioddefol ac yn amhosib ei reoli.

Gyda rhai, dydy'r gorbryder byth fel petai'n diflannu, hyd yn oed pan fydd y problemau sy'n eu hwynebu yn rhai mân, neu'n broblemau y byddai eraill yn eu gweld yn rhai hawdd eu datrys. Mae eraill yn profi gorbryder i'r fath raddau fel eu bod yn teimlo na allan nhw ymdopi mwyach. Mae hyn yn gallu bod yn ddryslyd ac yn ddychrynllyd, ac mae'n bosib y byddan nhw'n dechrau pryderu na fydd pethau byth yn gwella.

Bydd y llyfr hwn yn eich helpu i ddeall beth sy'n digwydd pan fyddwch chi'n teimlo'n bryderus. Mae Rhan 1 yn disgrifio symptomau gorbryder ac yn egluro sut maen nhw'n datblygu'n rhyw fath o gylch dieflig. Mae Rhan 2 wedyn yn cynnig sgiliau ymarferol i chi eu defnyddio i fynd i'r afael â symptomau gorbryder mewn tri maes pwysig – eich symptomau corfforol, eich meddyliau a'ch ymddygiad. Fe fydd deall a dysgu'r sgiliau allweddol hyn yn eich galluogi i ffarwelio unwaith ac am byth â phroblemau gorbryder.

Mae nodi pethau ar bapur yn aml yn ddefnyddiol, ac mae Rhan 2 yn y llyfr yn disgrifio sawl ymarfer a all eich helpu i ymdopi â gorbryder o ddydd i ddydd, gydag enghreifftiau i'ch rhoi ar ben ffordd. Mae'n syniad da cael llyfr nodiadau wrth law pan fyddwch chi'n gwneud yr ymarferion, fel y gallwch chi gadw cofnod o'ch meddyliau, eich teimladau a'ch cynnydd, fel mae'r ymarferion amrywiol yn ei awgrymu.

Pob lwc!

Brenda Hogan a Lee Brosan

Rhan 1: GORBRYDER

1

Felly, beth yw gorbryder?

Sefyll arholiad, mynd am gyfweliad swydd, cyfarfod darpar rieni yng nghyfraith, gorfod gwneud cwyn yn ysgol eich plentyn – mae sawl sefyllfa sy'n gallu gwneud i chi orbryderu ddim ond wrth i chi feddwl amdanyn nhw, ac mae delio â'r digwyddiad go iawn yn gallu bod yn brofiad hynod anodd. Mae pryderu'n rhan fawr o orbryder, ac i bobl sy'n dioddef o orbryder, mae'n gallu teimlo fel petai'n amhosib ei reoli. Ond nid pryderu yw'r unig broblem! Mae gorbryder yn effeithio ar sut rydyn ni'n teimlo, yn emosiynol ac yn gorfforol, ac ar sut rydyn ni'n ymddwyn. Mae'r symptomau canlynol yn gyffredin:

- teimlo'n nerfus, yn orbryderus neu'n ofnus
- teimlo'n bigog neu'n ypsetio'n hawdd
- cael anhawster canolbwyntio
- y galon yn curo'n gyflymach (neu'n 'crynu')
- yn fyr eich gwynt
- chwysu
- crynu
- cyhyrau tyn
- ceg sych

- teimlo'n sâl
- y stumog yn corddi
- teimlo'n benysgafn
- trafferthion cysgu
- awydd osgoi neu ddianc rhag y sefyllfa sy'n creu'r gorbryder.

Mae teimlo'n orbryderus yn gallu gwneud bywyd yn ddiflas. Gallwch bryderu gormod, troi pryderon drosodd a throsodd yn eich meddwl, a'i chael yn haws osgoi neu droi cefn ar sefyllfaoedd sy'n debygol o achosi gorbryder i chi.

Mae gorbryder yn tueddu i effeithio ar eich corff (symptomau corfforol), sut rydych chi'n teimlo, sut rydych chi'n meddwl, a sut rydych chi'n ymddwyn. Gall hyn fod yn ffordd ddefnyddiol o feddwl am orbryder, ac fe fyddwn yn trafod hyn ymhellach isod.

Cyn i ni fynd ymlaen, fodd bynnag, beth am geisio codi'r llen ar y profiad o deimlo'n orbryderus? Y cam cyntaf tuag at oresgyn gorbryder yw deall gorbryder a'i adnabod am yr hyn ydyw. Weithiau, mae pobl yn credu pethau am orbryder sy'n ei wneud yn fwy o fwgan o lawer, neu'n fwy peryglus o lawer nag y mae mewn gwirionedd. Gall deall ambell ffaith sylfaenol am orbryder fod o gymorth.

Rhai ffeithiau am orbryder

1. Mae gorbryder yn normal. Byddai'n anodd iawn i chi ddod o hyd i unrhyw un sydd heb ddioddef gorbryder ar ryw adeg neu'i gilydd! Mae gorbryder yn rhan arferol a disgwyliedig o'r profiad dynol.

2. Mae'n bosib addasu gorbryder. Mae hyn yn golygu bod pryder yn bodoli er mwyn ein helpu ni a'n hamddiffyn ni. Mae'n ein helpu ni i ddelio â pherygl (er enghraifft, i neidio o lwybr car sy'n teithio'n gyflym) ac i wneud ein gorau (e.e. gorbryder sy'n ein cymell i baratoi ar gyfer sefyllfaoedd pwysig, fel cyflwyniad pwysig yn y gwaith).

3. Dydy gorbryder DDIM yn beryglus. Mae'n deimlad anghyfforddus iawn, ond nid yw'n beryglus. Cofiwch, mae gorbryder yno i'n helpu ni ac i'n hamddiffyn ni, nid i'n niweidio ni.

4. Dydy gorbryder DDIM yn para am byth. Gall teimladau o orbryder gynyddu weithiau, ond maen nhw bob amser yn lleihau wedyn. Rhywbeth dros dro yw gorbryder, er ei fod yn gallu teimlo fel rhywbeth parhaol.

5. Mae gorbryder yn anweledig. Mae pryderu, ynghyd â theimladau emosiynol a chorfforol sy'n gysylltiedig â gorbryder, yn digwydd y tu mewn. Er y gall deimlo fel petai'ch gorbryder yn amlwg i bawb o'ch cwmpas, fydd pobl eraill ddim fel arfer yn ymwybodol o'n gorbryder oni bai ein bod ni'n dweud wrthyn nhw.

6. Mae problemau gyda gorbryder yn gyffredin. Nid chi yw'r unig un!

Mae gorbryder yn effeithio arnom yn gorfforol ac yn emosiynol; mae'n effeithio ar ein ffordd o feddwl ac ar ein hymddygiad. Mae deall sut mae gorbryder yn gweithio yn rhan bwysig o'i wneud yn haws ei drin.

Sut mae gorbryder yn effeithio ar eich corff?

> Dwi'n dechrau mynd yn boeth a chwyslyd ac mae 'ngheg i'n mynd yn sych grimp. Mae 'nghalon i'n teimlo fel gordd yn fy mrest. Weithiau, mae hi hyd yn oed yn anodd anadlu. Gwaetha'n byd dwi'n teimlo, mwya'n byd dwi eisiau rhedeg i ffwrdd...

Efallai eich bod chi wedi clywed am yr ymateb 'ymladd neu ffoi'. Ymateb corfforol yw hwn sy'n digwydd mewn amgylchiadau brawychus – byddwch yn ymateb naill ai drwy ymladd i'ch amddiffyn eich hun neu ffoi i ddianc rhag y perygl (dewis arall yw 'rhewi' er mwyn gwneud eich hun yn llai amlwg). Mecanwaith diogelwch ein cyrff yw hyn, sy'n caniatáu i ni ymateb mewn argyfwng. Mae'n gysylltiedig â llawer o newidiadau corfforol:

- anadlu'n gyflymach i gynyddu ocsigen yn y corff
- curiad y galon yn cyflymu i gynyddu llif y gwaed i'r cyhyrau
- mwy o densiwn yn y cyhyrau i sicrhau ymateb cyflym
- llai o boer, gan arwain at geg sych
- crynu neu ysgwyd
- chwysu, i oeri'r corff
- y meddwl yn canolbwyntio ar ffynhonnell y bygythiad.

Mae'r newidiadau hyn yn ein helpu i ymateb yn gyflym ac yn effeithiol i sefyllfaoedd peryglus sy'n gofyn am ymateb corfforol. Er enghraifft, mae cynnydd yn llif gwaed ac ocsigen i'r cyhyrau yn ein gwneud yn gryfach ac yn gyflymach. Mae'r mecanwaith goroesi hwn wedi esblygu dros filiynau o flynyddoedd i'n hamddiffyn rhag perygl, ac mae'n gallu bod yn ddefnyddiol iawn i ni heddiw – gallwn ymateb yn gyflym i neidio o lwybr cerbyd sy'n dod tuag aton ni, neu redeg ar ôl plentyn bach sydd ar fin cerdded o flaen siglen yn y parc. Er y gall y symptomau corfforol hyn fod yn anghyfforddus iawn (ac yn amlwg iawn os nad ydych chi'n brysur yn rhedeg neu'n ymladd am eich bywyd!), dydyn nhw ddim yn beryglus.

Cofiwch, maen nhw'n eich amddiffyn yn hytrach na gwneud niwed i chi.

Dyma'r broblem: anaml y mae bywyd modern yn beryglus ar lefel gorfforol. Os oes gennych chi gyflwyniad pwysig yn y gwaith neu os ydych ar fin mynd allan ar ddêt cyntaf, dydy rhedeg i ffwrdd, ymladd neu rewi yn fawr o werth! Er bod y math yma o ymateb yn ddefnyddiol o dro i dro, does dim angen yr ymateb ymladd neu ffoi wrth wynebu llawer o'r sefyllfaoedd sy'n peri gorbryder yn y byd sydd ohoni. Mae meddwl mewn ffordd gynhyrchiol yn fwy defnyddiol ac yn fwy o help.

Weithiau, mae'r newidiadau corfforol hyn yn angenrheidiol ac yn ddefnyddiol, ac yn gallu ein hamddiffyn rhag perygl. Yn wir, gall y math hwn o ymateb corfforol fod o gymorth bron mewn unrhyw sefyllfa sy'n peri straen, gan ei fod yn ein rhybuddio bod angen i ni ddelio â sefyllfa ac mae'n ein hysgogi i weithredu pan ddylen ni (e.e. i ddechrau paratoi ar gyfer y cyflwyniad pwysig hwnnw). Ond fel rydyn ni wedi gweld, ymateb meddyliol sydd ei angen yn aml, nid un corfforol. Gall y gweithgaredd corfforol na chafodd ei ddefnyddio fod yn anghyfforddus iawn, a gall hyd yn oed achosi gwewyr, ond mae'n bwysig eich bod yn eich atgoffa'ch hun fod y symptomau corfforol rydych chi'n eu profi yn normal ac nad ydyn nhw'n beryglus.

Sut mae gorbryder yn effeithio ar eich teimladau?

> Weithiau, pan dwi'n pryderu, dwi'n teimlo'n wirioneddol ofnadwy. Mae'r pryderon yn chwyrlïo mewn cylchoedd yn fy mhen a dwi'n dechrau meddwl na fydda i'n gallu ymdopi. Mwya'n byd dwi'n pryderu, gwaetha'n byd dwi'n teimlo – dwi'n teimlo'n orbryderus, ar bigau drain a dan straen. Mae weithiau mor wael, dwi'n methu eistedd yn llonydd.

Mae gorbryder yn gymysgedd o emosiynau, o deimlo'n nerfus, dan straen ac ar bigau drain, i deimladau o banig neu ofn. Mae lefel benodol o orbryder yn arferol – mae hynny'n digwydd i bawb – a hyd yn oed yn ddefnyddiol, gan ei fod yn peri i ni dalu sylw i sefyllfaoedd a all fod yn beryglus. Pe na fyddai'n hynafiaid o oes yr arth a'r blaidd wedi teimlo'n orbryderus am ddod wyneb yn wyneb â theigr rheibus, efallai y bydden nhw wedi cerdded yn syth i mewn i'w grafangau. Yn yr un modd heddiw, mae teimladau o orbryder yn ein cadw ni'n ddiogel – er enghraifft, mae teimlo'n nerfus wrth sefyll ar ymyl clogwyn yn golygu ei bod hi'n fwy tebygol y byddwch yn cymryd cam yn ôl ac yn llai tebygol o ddisgyn. Neu efallai eich bod yn pryderu am gerdded adref yn hwyr ar hyd llwybr tywyll, ac felly'n cymryd llwybr wedi'i oleuo'n dda yn lle hynny, er ei fod efallai'n hirach. Synnwyr cyffredin yw hyn, a gall olygu eich bod yn llai tebygol o gael eich mygio. Hyd yn oed mewn sefyllfaoedd llai peryglus, gall teimladau o orbryder ein hannog i weithredu mewn ffordd gynhyrchiol – gallant eich cymell i weithio hyd yn oed yn galetach ar gyflwyniad i'ch cyflogwr, neu roi mwy o amser i'r daith fel nad ydych yn hwyr pan fyddwch chi'n gollwng eich plant yn yr ysgol.

Felly mae rhywfaint o orbryder yn normal ac yn angenrheidiol, er nad ydyn ni'n mwynhau'r teimlad. Mae'n ein helpu ni i osgoi sefyllfaoedd a allai fod yn beryglus neu'n niweidiol. Fodd bynnag, mae teimladau o orbryder yn troi'n broblem pan fyddan nhw'n datblygu y tu hwnt i'r hyn fyddech chi'n ei ddisgwyl o ystyried sefyllfa benodol, neu os ydyn nhw gyda chi'r rhan fwyaf o'r amser. Mater arall yw'r emosiynau a ddaw yn sgil gorbryder parhaus, fel bod yn fyr eich amynedd neu gael eich ypsetio'n hawdd.

Sut mae gorbryder yn effeithio ar eich meddyliau?

> Pan dwi'n clywed sŵn ratlo yn y car, dwi'n dechrau pryderu'n syth. Dydw i ddim yn gallu cysgu a dwi'n hel meddyliau am beth allai fod o'i le ac yn pryderu faint fydd cost ei drwsio.

Mae ein ffordd o feddwl am bethau yn rhan bwysig o orbryder. Fel rydych chi wedi'i weld eisoes, un rhan o'r ymateb ymladd neu ffoi oedd 'y meddwl yn canolbwyntio ar ffynhonnell y bygythiad'. Os ydych chi mewn perygl go iawn, mae canolbwyntio ar ffynhonnell y bygythiad yn amlwg yn beth call. Fyddech chi ddim eisiau anwybyddu car sy'n taranu tuag atoch wrth i chi groesi'r ffordd! Ond mae rhai pobl yn ymateb yr un fath i sefyllfaoedd nad ydyn nhw'n fygythiol neu'n beryglus o gwbl, neu maen nhw'n goramcanu gwir lefel y perygl. Pan fydd hyn yn digwydd, mae eu cyrff yn ystyried ymladd neu ffoi, ac maen nhw'n teimlo'n orbryderus hyd yn oed pan fydd y sefyllfa'n gymharol ddiogel.

Mae rhai'n chwilio'n gyson am ffynonellau posib perygl, gan wneud eu gorbryder yn waeth. Efallai y byddan nhw'n pryderu y bydd pethau'n mynd o le hyd yn oed pan nad oes rheswm dros gredu hynny – fel pryderu na fydd y larwm yn canu er nad yw hynny erioed wedi digwydd, neu bryderu y gallai aelod o'r teulu sy'n gyrru cryn bellter fod mewn damwain car, er nad yw'r person dan sylw erioed wedi cael damwain a'i fod yn gyrru'n bell yn weddol aml. Mae meddwl fel hyn bron bob amser yn arwain at deimladau o orbryder.

'Poeni' neu 'bryderu' yw'r enw am y math o feddwl sy'n arwain at orbryder. Mae cysylltiad agos rhwng pryderu a gorbryder. Os ydych chi'n berson pryderus wrth reddf ac yn tueddu i bryderu'n aml, rydych yn fwy tebygol o ddioddef gorbryder. Felly beth yn union yw pryderu?

Mae pryderu'n ymwneud â meddwl am ddigwyddiadau negyddol a allai ddigwydd yn y dyfodol. Yn aml, mae'n cynnwys sefyllfaoedd 'beth os...?':

Beth os ydw i'n hwyr i'r gwaith?

Beth os ydw i'n methu fy arholiad?

Beth os ydyn ni'n gwario gormod ar ein gwyliau?

Beth os bydd fy mhlentyn yn cael ei fwlio yn yr ysgol?

Mae pobl yn tueddu i bryderu am yr un math o bethau. Mae hyd yn oed y rhai sy'n dioddef gorbryder yn pryderu am yr un pethau â phobl eraill. Ymhlith y pryderon cyffredin mae mân broblemau o ddydd i ddydd, problemau yn y gwaith neu'r ysgol, iechyd a/neu ddiogelwch anwyliaid neu nhw eu hunain, materion sy'n ymwneud â theulu a ffrindiau agos, a materion sy'n gysylltiedig â'r byd (e.e. diogelwch, sefydlogrwydd neu'r amgylchedd) neu'r dyfodol. *Faint* maen nhw'n pryderu am y pethau hyn – dyna yw'r gwahaniaeth rhwng y rhai sy'n cael trafferth gyda gorbryder a'r rhai nad ydyn nhw.

Mae meddwl un peth yn arwain at feddwl am rywbeth arall... a rhywbeth arall... a rhywbeth arall...

Pan fyddwch yn dechrau pryderu, mae'n bosib mai rhywbeth cymharol ddibwys fydd ar eich meddwl i ddechrau, ond bod hynny'n arwain yn gyflym at gyfres o bryderon eraill. Weithiau, mae pob un yn waeth na'r un o'i flaen.

Er enghraifft, efallai y byddwch yn dechrau drwy feddwl:

'Wnaeth fy mòs ddim hyd yn oed dweud helô wrtha i'r bore 'ma. Tybed ydy hi'n grac 'da fi?'

Gallai hyn arwain at bryderon eraill, fel:

'Beth os ydy hi'n grac am fy mod i wedi gofyn am gael gadael yn gynnar ddoe i fynd â fy mab at y meddyg?'

'Efallai nad yw hi'n hapus gyda'r gwaith dwi wedi'i wneud hyd yn hyn ar y prosiect yma?'

Ac efallai y bydd y pryderon hyn, yn eu tro, yn arwain at feddyliau gwaeth fyth, fel:

Beth os ydw i'n cael y sac?

Beth os na alla i ddod o hyd i swydd arall?

Fyddwn ni'n gallu talu'r morgais? Beth os byddwn ni'n colli'n tŷ?

Cadwyno yw'r enw ar y broses hon o feddwl – gyda'r naill syniad yn arwain at nifer o syniadau eraill, a thueddiad graddol i'r meddyliau hyn ddod yn fwy trawiadol ac achosi mwy o straen.

Mae rhai'n teimlo bod pryder a gorbryder yn ymyrryd â'u bywydau. Pan fydd hyn yn digwydd, mae pobl yn aml yn cwyno eu bod nhw'n 'pryderu drwy'r amser'. Maen nhw'n teimlo fel pe bai eu pryderu nhw y tu hwnt i reolaeth. Dydy hi'n fawr o syndod fod yr holl bryderu yn arwain at gynnydd yn eu teimladau o orbryder.

Sut mae gorbryder yn effeithio ar eich ymddygiad?

> Roeddwn i'n arfer hoffi cael ffrindiau draw am bryd o fwyd. Ond yna wnes i ddechrau pryderu am gael popeth yn berffaith... Byddwn yn treulio dyddiau'n cynllunio'r bwyd ac yn glanhau'r tŷ, ac yn pryderu cymaint fel ei fod yn difetha'r hwyl. Ar ôl i'n ffrindiau adael, byddwn yn pryderu a oedden nhw mewn gwirionedd wedi cael amser da. Yn y pen draw, wnes i roi'r gorau i wahodd pobl acw.

> Roeddwn i'n arfer mwynhau teithio a mynd i leoedd newydd, ond nawr dwi'n rhy ofnus i fynd ymhell o gartref.

Felly, gall gorbryder newid sut rydyn ni'n byw ein bywydau.

Gall gorbryder effeithio ar ein hymddygiad mewn dwy ffordd, yn bennaf – a'r ddwy ffordd yn tarddu o ymgais i leihau pryder. Y ffordd gyntaf yw osgoi, a'r ail yw ymddygiadau diogelu. Mae llawer o bobl yn osgoi sefyllfaoedd sy'n eu gwneud yn orbryderus. Os ydyn nhw'n gwybod y gallai sefyllfa benodol achosi iddyn nhw bryderu a theimlo'n bryderus, maen nhw'n cadw draw. Bydd rhai'n osgoi partïon lle nad ydyn nhw'n adnabod llawer o bobl, ac eraill yn mynd ond yn gadael yn gynnar os ydyn nhw'n dechrau teimlo'n nerfus. Mae eraill yn defnyddio 'ymddygiadau diogelu' – er enghraifft, maen nhw'n aros yn agos at ffrind neu aelod o'r teulu, neu bob amser yn cynnig helpu yn y gegin wrth wynebu sefyllfa gymdeithasol sy'n peri iddyn nhw deimlo'n orbryderus. Bydd rhai'n cadw 'gwrthrych diogelu' yn eu meddiant, fel potel o ddŵr rhag ofn bod eu ceg yn sych, neu ffôn symudol i'w ddefnyddio i 'edrych yn brysur' os ydyn nhw'n teimlo'n orbryderus ynglŷn â siarad â phobl eraill yn yr ystafell.

Mae osgoi sefyllfaoedd sy'n eich gwneud yn orbryderus a defnyddio ymddygiadau diogelu yn gyffredin – ac maen nhw'n gweithio, ond *yn y tymor byr yn unig*. Yn y tymor hir, mae pobl yn ei chael hi'n anoddach fyth i ddelio â'u gorbryderon oherwydd bod y dull hwn o ymddwyn yn rhoi negeseuon ffug, er enghraifft, 'yr unig reswm na ddigwyddodd unrhyw beth ofnadwy yw oherwydd na wnes i fynd' neu 'yr unig ffordd wnes i ymdopi oedd drwy eistedd yn y gegin drwy'r nos' neu 'dim ond llwyddo i adael mewn pryd wnes i'.

Mae osgoi ac ymddygiadau diogelu yn arwain at ragor o orbryder ac yn ei gwneud hi'n anoddach wynebu sefyllfaoedd tebyg yn y dyfodol. Ar ben hynny, mae eich rhestr o ymddygiadau diogelu a sefyllfaoedd i'w hosgoi yn tyfu'n hirach o hyd – ac mae hynny'n gallu effeithio'n sylweddol ar eich bywyd a'r pethau allwch chi eu gwneud.

Gall gorbryder effeithio ar ein hymddygiad mewn ffyrdd eraill hefyd. Yn aml, mae pobl sy'n cael trafferth gyda gorbryder yn ei chael hi'n anodd delio â sefyllfaoedd lle maen nhw'n teimlo'n ansicr: er enghraifft, ansicrwydd ynglŷn â beth ddylen nhw ei wneud, beth sy'n mynd i ddigwydd, neu a ydyn nhw'n gwneud y penderfyniad cywir. Er mwyn helpu i ddelio â hyn, maen nhw'n aml yn gobeithio y bydd ymddwyn mewn ffordd benodol yn gwneud iddyn nhw deimlo'n fwy sicr. Mae enghreifftiau o hyn yn cynnwys:

- Chwilio am sicrwydd – gall hyn olygu gofyn am farn pobl eraill dro ar ôl tro.
- Gofyn i eraill wneud penderfyniadau – math o osgoi yw hyn, mewn gwirionedd, gan ei fod yn osgoi'r posibilrwydd na fyddwch chi'n gwneud y dewis 'cywir'.
- Gwirio/gwneud yn siŵr o bethau – er enghraifft, ffonio ffôn symudol perthynas byth a hefyd i wneud yn siŵr eu bod yn iawn, neu wirio eu gwaith am wallau dro ar ôl tro.
- Paratoi gormodol – gwneud rhestrau hir iawn o bethau i'w gwneud, neu ymchwilio'n ormodol i rywbeth cyn penderfynu.

Yn union fel mathau eraill o osgoi ac ymddygiadau diogelu, dydy'r strategaethau hyn ddim yn gweithio yn y tymor hir. Mewn gwirionedd, maen nhw'n bwydo gorbryder ac yn ei gynnal.

2

Cylch dieflig gorbryder

Yn anffodus, mae gwahanol agweddau ar orbryder – yr emosiynol, y corfforol, meddyliau ac ymddygiad – yn gweithio gyda'i gilydd i ffurfio cylch dieflig o orbryder. Yn gyntaf, er enghraifft, gadewch i ni ddychmygu eich bod ar fin rhoi rhyw fath o gyflwyniad yn y gwaith ond eich bod chi'n pryderu am siarad yn gyhoeddus. Yn ail, mae meddwl am y cyflwyniad yn eich gwneud yn nerfus, sy'n sbarduno'r ymateb ymladd neu ffoi, felly rydych chi'n teimlo'n fyr eich gwynt ac yn crynu. Yn drydydd, mae'n debyg y byddwch yn meddwl bod pawb yn sylwi pa mor nerfus ydych chi ac yn meddwl bod yr orchwyl y tu hwnt i chi. Bydd hyn, wrth gwrs, yn eich gwneud yn fwy nerfus. Yn bedwerydd, bydd yr ymateb corfforol wedyn yn gryfach fyth, a bydd hynny yn ei dro yn gwneud i chi bryderu mwy fyth, gan greu cylch dieflig fel yr un isod.

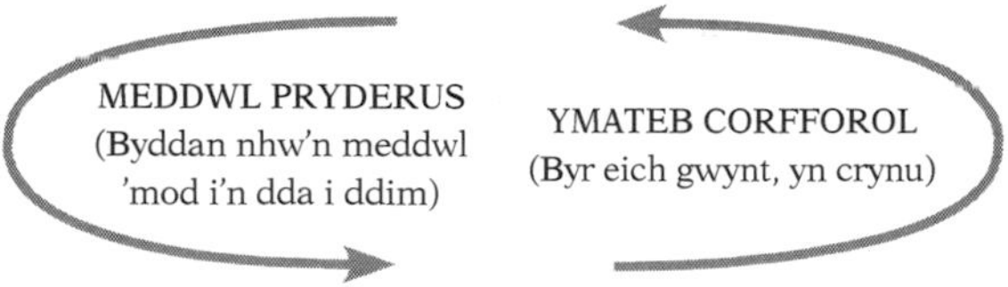

MEDDWL PRYDERUS
(Byddan nhw'n meddwl
'mod i'n dda i ddim)

YMATEB CORFFOROL
(Byr eich gwynt, yn crynu)

Bellach, mae llawer o driniaethau gorbryder yn seiliedig ar ddull llwyddiannus o'r enw therapi ymddygiad gwybyddol (CBT: *cognitive behavioural therapy*). Mae'r dull hwn yn eich dysgu sut mae rhai ffyrdd o feddwl mewn gwirionedd yn achosi'r gorbryder drwy roi darlun camarweiniol i chi o'r hyn sy'n digwydd yn eich bywyd. Mae wedyn yn eich helpu i wanhau'r cysylltiadau rhwng y sefyllfaoedd sy'n peri pryder i chi a'ch ymateb gorbryderus chi iddyn nhw. Mae CBT yn awgrymu mai'r rhan gyntaf o'r cylch dieflig hwn (y meddwl gorbryderus) yw'r un bwysicaf wrth greu gorbryder. Os ydych chi'n tueddu i weld pethau'n fygythiol a pheryglus, ac yn dychmygu y bydd y gwaethaf yn digwydd, yna rydych chi'n debygol iawn o deimlo'n orbryderus.

Pan fyddwch chi'n teimlo'n orbryderus, efallai y bydd pob un o'r pedair rhan o'r cylch dieflig (ymateb corfforol, emosiynau, meddyliau ac ymddygiad) yn effeithio arnoch chi, neu efallai ddim ond un neu ddau. I asesu'r hyn sy'n achosi'r problemau mwyaf i chi, gofynnwch y cwestiynau isod i chi'ch hun.

Symptomau corfforol

Ydw i'n dioddef o unrhyw un o'r symptomau hyn: fy nghalon yn curo'n gyflym iawn, yn fyr fy ngwynt, yn teimlo'n benysgafn, fy stumog yn corddi, yn crynu neu fy ngheg i'n sych?

Emosiynau
Ydw i'n aml yn teimlo'n orbryderus, yn nerfus neu ar bigau drain?

Meddyliau
Ydy pryderu'n broblem i mi? Ydw i'n teimlo bod fy mhryderu y tu hwnt i reolaeth? Ydw i'n pryderu am 'rywbeth a phopeth'?

Ymddygiad
Ydw i'n osgoi gwneud pethau penodol am eu bod nhw'n gwneud i mi deimlo'n nerfus neu'n bryderus?

Os ydw i'n dechrau teimlo'n nerfus mewn sefyllfa benodol, ydw i'n ceisio dianc cyn gynted ag y gallaf?

Ydw i'n osgoi gwneud pethau ar fy mhen fy hunan oherwydd fy mod i'n teimlo'n fwy cyfforddus pan fydd gen i gwmni?

Ydw i'n defnyddio 'triciau' i geisio teimlo'n llai gorbryderus neu i guddio'r ffaith fy mod i'n gorbryderu (er enghraifft, gwneud yn siŵr 'mod i'n agos at rywun dwi'n ei adnabod, peidio ag edrych i fyw llygaid rhywun neu chwarae gyda fy ffôn symudol)?

Gall newid sut rydych chi'n teimlo ymddangos yn amhosib, ond mae'n bosib gwneud hynny! Oherwydd bod pob un o'r pedair agwedd ar orbryder yn gweithio gyda'i gilydd, bydd newid un yn helpu gyda'r agweddau eraill hefyd. Felly, drwy newid eich ffordd o feddwl neu ymddwyn, neu sut mae'ch corff yn ymateb, gallwch wneud newidiadau mawr i'r ffordd rydych chi'n *teimlo*. Yn Rhan 2 y llyfr hwn, byddwn yn dangos i chi sut i wneud hynny.

Rhan 2: YMDOPI Â GORBRYDER

Mae gorbryder yn rhan arferol o'r cyflwr dynol. Fel rydyn ni wedi'i drafod eisoes, mewn llawer o sefyllfaoedd mae profi gorbryder yn rhywbeth defnyddiol, y gallwn ei addasu. Gall ein harbed rhag niwed, neu ein cymell i weithredu. Mae'n bwysig cofio nad yw ymdopi â gorbryder yn golygu cael gwared ar orbryder yn llwyr. Yn hytrach, rheoli'ch gorbryder yn well yw'r nod fel y gallwch chi fyw bywyd hapusach, mwy tawel.

> Gallai fod yn ddefnyddiol i chi feddwl am eich ymateb gorbryderus fel larwm mwg sy'n rhy sensitif. Dydych chi ddim am gael gwared ar y larwm mwg yn eich cartref gan y byddai hynny'n beryglus. Yn hytrach, rydych chi eisiau gwneud yn siŵr bod eich larwm mwg yn canu pan mae gwir angen iddo wneud hynny – ac nid pan fyddwch chi wedi llosgi'ch tost! Mae'r un peth yn wir am orbryder. Does dim angen cael gwared ar orbryder. Mae yno am reswm – mae angen gorbryder arnoch chi, ond nid drwy'r amser. Mae angen i chi ofalu nad ydych yn gorbryderu wrth ymateb i sefyllfaoedd nad ydyn nhw'n ei haeddu.

3

Tawelu'ch corff: rheoli symptomau corfforol gorbryder

I'r rhan fwyaf ohonom, mae'r symptomau corfforol a ddisgrifiwyd yn Rhan 1 yn annymunol ac yn anodd ymdopi â nhw. Mae'r ymarferion canlynol wedi'u cynllunio'n benodol i leddfu'r teimladau sy'n cael eu hachosi gan orbryder. Dyma fan gwych i ddechrau – os gallwch chi arafu'r ymateb corfforol i orbryder, byddwch mewn sefyllfa well i ddefnyddio rhai o'r strategaethau eraill sy'n codi'n ddiweddarach yn y llyfr hwn.

Goranadlu

Mae'n debyg eich bod wedi sylwi eich bod yn anadlu'n ysgafnach ac yn gyflymach pan fyddwch chi'n orbryderus iawn –'goranadlu' yw'r enw ar hyn. Weithiau, bydd hyn yn amlwg iawn, ond dydy rhai pobl ddim yn sylweddoli bod eu hanadlu wedi newid. Dydy anadlu'n gyflymach ac yn ysgafnach ddim yn beryglus – mae'n debyg i'r ffordd rydych chi'n anadlu wrth wneud ymarfer corff. Ond os ydych chi'n anadlu fel hyn pan nad ydych chi'n gwneud ymarfer corff, efallai y byddwch chi'n cael sgileffeithiau annymunol fel pendro neu benysgafnder, pinnau bach yn eich dwylo neu'ch traed ac y byddwch chi'n cael trafferth gweld yn glir. Yn rhyfedd ddigon, un o sgileffeithiau goranadlu yw teimlo nad ydych chi'n cael digon o aer. Bydd ceisio anadlu mwy mewn gwirionedd yn gwneud y symptomau'n waeth, yn hytrach na'u gwella. Unwaith eto, dydy anadlu mwy ddim yn beryglus, ond bydd yn achosi rhywfaint o anesmwythdra dros dro.

Mae defnyddio'r dechneg Anadlu dan reolaeth, sy'n cael ei disgrifio isod, yn ffordd dda o gywiro symptomau anadlu anghywir a lleihau symptomau corfforol gorbryder.

Anadlu dan reolaeth

Pan fyddwch yn rhoi cynnig ar yr ymarfer hwn am y tro cyntaf, gorweddwch, neu eisteddwch mewn cadair gyfforddus. Wrth i chi fagu mwy o brofiad o anadlu dan reolaeth, gallwch roi cynnig arni'n eistedd i fyny neu'n sefyll.

1. Rhowch y naill law ar eich brest a'r llall ar eich stumog.

2. Anadlwch yn ddwfn ac yn araf drwy'ch trwyn, gan adael i'ch bol a'ch brest chwyddo'n ysgafn. Edrychwch ar eich dwylo. Ydy'ch llaw isaf yn symud? Da iawn. Mae hyn yn golygu eich bod yn defnyddio'ch

holl ysgyfaint, ac nad ydych yn anadlu o'u rhan uchaf yn unig. Yn ddelfrydol, dylech weld eich dwy law yn symud rhywfaint. Os nad yw hyn yn digwydd, ewch ati i geisio gwthio'ch bol allan fymryn wrth anadlu i mewn. Bydd hyn yn annog defnyddio'r holl ysgyfaint wrth anadlu.

3. Dylai'r anadl i mewn fod yn araf, yn ysgafn ac yn dawel. Ni ddylai neb arall allu'ch clywed yn anadlu.

4. Daliwch eich anadl am ennyd.

5. Anadlwch allan, yn araf ac yn ysgafn.

6. Ar ôl anadlu allan, arhoswch am ennyd. Peidiwch â chymryd yr anadl nesaf nes eich bod chi'n teimlo ei bod yn 'bryd' gwneud hynny.

7. Gwnewch hyn eto. Ceisiwch greu rhythm. Daliwch ati i anadlu'n araf, yn ddwfn ac yn ysgafn.

Cyhyrau tyn

Gall technegau ymlacio eich helpu i dawelu a gostwng lefel gyffredinol eich gorbryder. Isod, fe welwch chi gyfarwyddiadau ar gyfer ymlacio cyhyrau graddedig. Darllenwch drwyddyn nhw unwaith neu ddwy cyn dechrau. (Efallai y bydd yn haws i chi recordio'r cyfarwyddiadau ar eich ffôn er mwyn gwrando arnyn nhw wrth i chi roi cynnig arni.) Rhowch gynnig ar yr ymarfer o leiaf ddwywaith y dydd i ddechrau, a rhowch hanner awr i chi'ch hun i wneud hynny (mae'n debyg na fydd yn cymryd gymaint â hynny, ond mae'n werth cael amser dros ben fel nad ydych yn teimlo'ch bod yn rhuthro). Dewiswch amser pan fyddwch ar eich pen eich hun ac nad ydych chi'n disgwyl i neb darfu arnoch chi; a chofiwch ddiffodd eich ffôn symudol (oni bai eich bod yn gwrando ar y cyfarwyddiadau arno)! Eisteddwch neu gorweddwch mewn lle cyfforddus. Gorau oll os yw'r ystafell yn dawel, yn gynnes ac wedi'i goleuo'n ddymunol. Ceisiwch beidio â phryderu a ydych yn 'gwneud y peth yn iawn'. Y peth pwysicaf yw rhoi cynnig arni. Cofiwch, fydd darllen y cyfarwyddiadau ddim yn gwneud i chi ymlacio – mae'n rhaid rhoi cynnig arni. Amla'n byd y byddwch chi'n ymarfer, gorau oll fyddwch chi.

Ymlacio cyhyrau graddedig

1. Eisteddwch neu gorweddwch yn gyfforddus, gyda'ch breichiau wedi ymlacio wrth eich ochr, a'ch coesau heb eu croesi. Arhoswch yn llonydd am ychydig funudau i dawelu'ch meddwl yn iawn, ac i ddechrau ymlacio. Anadlwch yn ddwfn ddwywaith. Canolbwyntiwch ar eich anadlu, a gadewch i'ch cyhyrau ymlacio'n araf.

2. Os ydych chi'n teimlo'n anghyfforddus, newidiwch ystum eich corff unrhyw bryd – does dim rhaid i chi bryderu am aros yn hollol lonydd. Os ydy'ch meddwl chi'n crwydro yn ystod yr ymarfer, canolbwyntiwch ar eich anadlu unwaith eto.

3. Nawr, rholiwch eich gwddf yn ysgafn o'r naill ochr i'r llall er mwyn llacio'ch cyhyrau. Codwch eich ysgwyddau i fyny at eich clustiau, eu dal yno, ac yna'u gollwng. Gadewch i bwysau eich ysgwyddau ostwng yn araf. Canolbwyntiwch ar eich anadlu. Anadlwch yn araf ac yn ysgafn, i mewn drwy'ch trwyn ac allan drwy'ch ceg. Ymlaciwch. Bob tro y byddwch chi'n anadlu allan, dychmygwch eich bod yn gollwng rhywfaint o'r tensiwn.

4. Nawr, canolbwyntiwch yn llwyr ar eich traed a sut maen nhw'n teimlo. Ewch ati i dynhau'r cyhyrau drwy godi eich traed ychydig, gan bwyntio bysedd eich traed tuag at y nenfwd. Teimlwch y tensiwn yn eich traed, bysedd y traed a chyhyrau croth y goes. Sylwch ar y tensiwn a'r tyndra yn y cyhyrau. Daliwch yr ystum hwn am bum eiliad, yna'i ollwng. Gadewch i'r tensiwn ddiflannu ac i don o ymlacio gymryd ei le. Canolbwyntiwch ar y newid yn eich cyhyrau wrth iddyn nhw newid o fod yn dynn i fod

wedi ymlacio. Ymlaciwch eich traed a bysedd eich traed. Canolbwyntiwch ar y teimlad hwnnw, wrth i chi anadlu'n ysgafn i mewn ac allan. Canolbwyntiwch am tua ugain eiliad ar y teimlad o ymlacio.

5. Nawr, ewch ati i dynhau cyhyrau'r cluniau a'r coesau drwy wasgu i lawr ar eich sodlau. Dylech deimlo tensiwn yng nghyhyrau croth y goes ac yn rhan uchaf eich coesau. Canolbwyntiwch ar y tensiwn a'r tyndra hwnnw. Daliwch yr ystum am bum eiliad, yna ymlaciwch. Teimlwch y tensiwn yn diflannu o'ch coesau, wrth i deimlad braf o ymlacio gymryd ei le. Canolbwyntiwch ar y teimlad o ymlacio am tua ugain eiliad wrth i'r tyndra ddiflannu.

6. Nawr, trowch eich sylw at eich abdomen. Ewch ati i dynhau cyhyrau'r bol gymaint ag y gallwch chi. Sugnwch eich bol i mewn gan gynnal y tensiwn. Canolbwyntiwch ar y tyndra a'r tensiwn am tua phum eiliad. Yna ymlaciwch a gadewch i'r cyhyrau lacio. Gadewch i'r teimlad o ymlacio ymledu'n araf ac yn dyner dros eich abdomen. Canolbwyntiwch am tua ugain eiliad ar y teimlad o ymlacio tawel.

7. Mae'r cam nesaf yn canolbwyntio ar gyhyrau'r frest. Anadlwch yn ddwfn drwy'ch trwyn. Daliwch yr anadl. Teimlwch y tensiwn

o gwmpas eich asennau. Daliwch y tensiwn am ennyd, yna'i ryddhau. Anadlwch allan yn ysgafn ac yn araf. Teimlwch y newidiadau yn eich brest wrth i chi anadlu allan.

8. Anadlwch yn ddwfn, gan lenwi'ch ysgyfaint. Sylwch ar y tensiwn, a'i ryddhau, gan anadlu allan drwy'ch ceg. Gadewch i gyhyrau'r frest ymlacio. Anadlwch yn araf ac yn ysgafn eto. Canolbwyntiwch ar y teimlad o ymlacio.

9. Nawr, trowch eich sylw at eich dwylo a'ch breichiau o'r penelin i lawr. Daliwch eich dwylo a'r cledrau'n wynebu i fyny. Gwasgwch nhw mor dynn ag y gallwch yn ddwrn, a throwch nhw tua'r nenfwd. Teimlwch y tensiwn yn eich bysedd, cledrau'ch dwylo a'ch breichiau am tua phum eiliad, ac yna ymlaciwch. Yn araf ac yn ysgafn, gadewch i'ch dwylo a'ch breichiau ymlacio. Gadewch i'r ymlacio ymledu dros eich breichiau, eich dwylo a'ch bysedd wrth i'r tensiwn ddiflannu. Cofiwch ganolbwyntio ar y teimlad o ymlacio am tua ugain eiliad.

10. Nawr am weddill eich breichiau. Ewch ati i greu tensiwn drwy wasgu'ch dwylo i lawr mor galed ag y gallwch chi a theimlwch y tyndra a'r tensiwn. Cadwch nhw fel hyn am tua phum eiliad, yna ymlaciwch.

Gadewch i'ch dwylo orffwys yn dyner ac yn gyfforddus, ac i'r tensiwn lithro ymaith. Canolbwyntiwch am tua ugain eiliad ar yr ymlacio yn eich breichiau.

11. Nawr, ceisiwch dynhau'r holl gyhyrau yn eich gwddf am tua phum eiliad, yna cyhyrau'r ysgwyddau. Canolbwyntiwch am tua ugain eiliad ar y teimlad o ymlacio.

12. Nesaf, canolbwyntiwch ar eich ysgwyddau. Sylwch ar unrhyw densiwn sydd yno eisoes, yna tynhewch y cyhyrau drwy godi'ch ysgwyddau. Codwch eich ysgwyddau i fyny at eich clustiau, fel petai llinyn yn eu codi. Daliwch yr ystum am bum eiliad, gan sylwi ar y tyndra a'r tensiwn. Yna ymlaciwch yn araf, gan ostwng eich ysgwyddau'n raddol. Canolbwyntiwch ar ymlacio'r cyhyrau yn eich ysgwyddau. Canolbwyntiwch am tua ugain eiliad ar y teimlad o ymlacio.

13. Trowch eich sylw at eich ceg a'ch gên. Tynhewch yr ardal hon o'ch wyneb drwy wasgu'ch dannedd yn dynn a gorfodi'ch ceg i ffurf gwên. Dylai'ch gwefusau, eich bochau a'ch gên deimlo'n dynn ac yn llawn tensiwn. Daliwch yr ystum am tua phum eiliad ac yna ymlacio'ch wyneb. Teimlwch y cyhyrau'n rhyddhau ac yn ymlacio. Gadewch i'ch dannedd wahanu a'r cyhyrau ymlacio.

Gadewch i'r ymlacio ymledu ar draws eich ceg a'ch gên. Cofiwch ganolbwyntio am tua ugain eiliad ar y teimlad o ymlacio.

14. Nawr, symudwch at eich llygaid a'ch trwyn. Caewch eich llygaid mor dynn ag y gallwch chi, a chrychwch eich trwyn. Teimlwch y tensiwn yn eich wyneb, rhan uchaf eich bochau a'ch llygaid. Canolbwyntiwch ar y tensiwn am bum eiliad, yna ymlacio. Sylwch ar y tensiwn yn diflannu. Dychmygwch fod eich cyhyrau'n esmwytho ac yn ymlacio. Canolbwyntiwch am tua ugain eiliad ar y teimlad o ymlacio.

15. Erbyn hyn rydych chi wedi cyrraedd eich talcen. Codwch eich aeliau mor uchel ag y gallwch chi. Sylwch ar y tensiwn yn eich talcen a chroen eich pen. Daliwch yr ystum am bum eiliad ac yna ymlacio. Am ugain eiliad, teimlwch yr ymlacio'n ymledu'n ôl o'ch talcen, ac ar draws croen eich pen.

16. Rydych chi bellach wedi gweithio ar holl grwpiau cyhyrau'ch corff. Daliwch ati i ymlacio; bob tro y byddwch chi'n anadlu allan, gadewch i'ch hun ymlacio fwy a mwy. Bob tro y byddwch chi'n anadlu allan, meddyliwch am ran o'ch corff, a gadewch i'r cyhyrau ymlacio fwy fyth.

17. Pan fyddwch wedi cwblhau'r ymarfer ymlacio, cymerwch ennyd i ddod yn fwy effro. Agorwch eich llygaid, a symudwch eich breichiau a'ch coesau rywfaint cyn codi a dechrau symud eto.

Pan fyddwch chi'n rhoi cynnig ar yr ymarfer hwn am y tro cyntaf, efallai y bydd hi'n anodd i chi ymlacio'ch cyhyrau, neu efallai y cewch drafferth canolbwyntio ar ymlacio. Dyna pam mae hi'n bwysig ymarfer y technegau – mae'n cymryd amser ac ymarfer i allu ymlacio'n effeithiol. Os byddwch chi'n ymarfer ddwywaith y dydd, fe wnewch chi ddechrau sylwi ei bod yn cymryd llai o amser i chi ymlacio. Pan fyddwch chi'n teimlo'n barod, gallwch dreulio llai o amser yn ymarfer, a defnyddio'ch sgiliau pryd bynnag y teimlwch eu hangen. Gydag amser, fe ddewch yn fwy ymwybodol o'r adegau pan mae'ch cyhyrau'n dynn, a gallwch eu llacio yn y fan a'r lle. Defnyddiwch y dechneg hon unrhyw bryd rydych chi'n dechrau teimlo'n nerfus.

Gormod o gaffein

Mae'ch corff yn ymateb i gaffein yn yr un ffordd ag y mae'n ymateb wrth ymladd neu ffoi. O ganlyniad, bydd gormod o gaffein yn gwneud i'ch gorbryder deimlo'n llawer gwaeth.

Mae caffein mewn coffi, te (gan gynnwys te gwyrdd

a rhai mathau o de â blas), cola (a rhai diodydd pefriog eraill – edrychwch ar y rhestr gynhwysion i fod yn siŵr) a siocled.

Meddyliwch sawl paned rydych chi'n eu hyfed a faint o siocled rydych chi'n ei fwyta bob dydd. Mwy nag yr oeddech chi wedi'i feddwl, mae'n siŵr. Felly efallai y byddwch am gadw 'dyddiadur caffein' am ychydig ddyddiau.

Mae caffein yn gaethiwus, felly mwya'n byd gewch chi, mwya'n byd y byddwch chi'n dibynnu arno. Bydd eich goddefgarwch ohono'n cynyddu hefyd – gydag amser, bydd angen mwy o gaffein arnoch i gael yr un effaith – a byddwch yn profi symptomau diddyfnu (*withdrawal symptoms*) os na fyddwch chi'n ei gael. Mae symptomau cyffredin diddyfnu yn cynnwys pen tost/cur pen, blinder a chrynu, yn ogystal ag awydd cryf am baned o goffi neu de! Felly, os ydych chi'n yfed llawer o gaffein, gall fod yn eithaf anodd rhoi'r gorau iddo'n llwyr ar unwaith. I osgoi'r symptomau diddyfnu annymunol, yfwch lai o gaffein yn raddol. Y newyddion da yw does dim rhaid i chi gael gwared arno'n llwyr o'ch deiet. Fydd ychydig bach o gaffein – paned o goffi neu de yn y bore – ddim yn cael fawr o effaith ar lefelau gorbryder. Mae diodydd digaffein yn ddewis arall da.

Os ydych chi'n cael problemau cysgu, ewch heb gaffein yn llwyr yn y prynhawn a min nos.

4

Peidiwch â phryderu gymaint! Dysgu rheoli meddyliau gorbryderus

Yn gyffredinol, pan fyddwn yn sôn am 'orbryder', rydyn ni'n golygu'r darlun cyfan – meddwl, teimlo, newid corfforol ac ymddygiad. Pan fyddwn ni'n sôn am 'boeni' neu 'bryderu', rydyn ni'n cyfeirio at agwedd feddyliol gorbryder. Mae poeni neu bryderu yn rhan fawr iawn o'r broblem i bobl sy'n cael trafferth gyda gorbryder. Mae poeni neu bryderu bron bob amser yn arwain at lefelau uchel o'r holl agweddau eraill ar orbryder. Gall gorbryder hefyd arwain at fwy o bryderu. Mae'n siŵr eich bod chi wedi sylwi eich bod chi'n meddwl am bethau mewn ffordd wahanol iawn pan fyddwch chi'n orbryderus o'i gymharu â phan fyddwch chi'n dawel eich meddwl. Gall pethau na fyddent fel arfer yn peri pryder i chi ymddangos yn drychinebau go iawn. Efallai y byddwch yn meddwl y bydd 'popeth yn mynd o'i le' neu na fyddwch yn gallu ymdopi. Efallai y byddwch chi hyd yn oed yn pryderu am bethau sydd erioed wedi peri pryder i chi o'r blaen, er enghraifft, pam mae'ch partner ddeng munud yn hwyr yn ôl o'r gwaith – ydy e neu hi wedi bod mewn damwain? Neu a ydy'r peswch yna sydd arnoch chi'n arwydd o glefyd difrifol?

Mae pobl sy'n cael trafferth gyda phryderu a gorbryder yn debygol o feddwl am bethau mewn ffordd eithafol iawn. Er enghraifft, mae'n debygol eu bod yn credu fel hyn:

- Mae'n *debygol iawn* y bydd pethau'n mynd o le.
- Pan fydd pethau'n mynd o le, bydd y canlyniadau'n *ofnadwy*.
- Pan fydd pethau'n mynd o le, fyddan nhw *ddim yn gallu ymdopi*.

Mae meddwl fel hyn yn debygol o wneud gorbryder yn waeth, hyd yn oed. Mae pobl sy'n 'cael eu dal' yn y patrymau meddwl hyn mewn cylch dieflig. Mwya'n byd rydych chi'n pryderu, mwya'n byd rydych chi'n gorbryderu. A mwya'n byd rydych chi'n gorbryderu, mwya'n byd rydych chi'n pryderu.

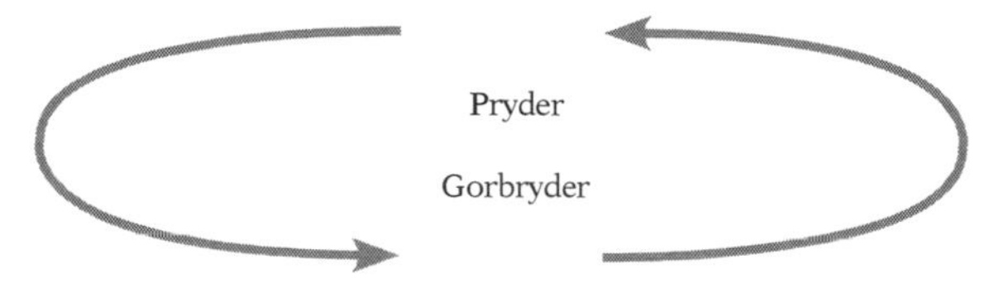

Y gamp yma yw torri'r cysylltiad rhwng pryder a gorbryder. Er bod hyn yn swnio'n anodd, gallwch ddysgu newid eich ffordd o feddwl, a gweld pethau mewn ffordd sy'n llawer llai tebygol o wneud i chi deimlo'n orbryderus.

Mae pobl sy'n cael trafferthion gyda phryder yn dueddol o bryderu am broblemau cyfredol neu sefyllfaoedd damcaniaethol. Mae problemau cyfredol yn cynnwys pethau sy'n digwydd yn eich bywyd ar hyn o bryd – er enghraifft, 'Mae'r traffig yma'n ofnadwy! Dwi'n credu bydda i'n hwyr i'r gwaith', neu 'Rydyn ni wedi gwario gormod y mis hwn. Dwi'n pryderu na fyddwn ni'n gallu talu'r biliau'. Mae sefyllfaoedd damcaniaethol yn sefyllfaoedd a allai ddigwydd rywbryd yn y dyfodol (neu beidio). Dyma enghreifftiau o sefyllfaoedd damcaniaethol a allai beri pryder. 'Beth os na fydd fy merch yn cael lle yn y brifysgol?' neu 'Beth os bydd cyfraddau morgais yn codi ac na fyddwn ni'n gallu fforddio'r tŷ yma?'

Er bod y ddau fath yma o bryder yn arwain i'r un lle (lefelau uchel o orbryder!), maen nhw ychydig yn wahanol. Os ydych chi'n pryderu am broblem gyfredol, mae'n bosib y gallwch wneud rhywbeth i ddelio â hi. Er enghraifft, gallech ffonio'ch rheolwr i roi gwybod y byddwch ychydig funudau'n hwyr oherwydd y traffig, neu fynd ati i baratoi cynllun i ddelio â'ch sefyllfa ariannol. Mewn sefyllfaoedd o'r fath, mae gennych rywfaint o reolaeth. Gyda strategaeth ymdopi dda, bydd mynd ati i ddatrys problemau yn cymryd lle'r pryderu. Fodd bynnag, os ydych yn pryderu am sefyllfa ddamcaniaethol, mae'n bosib nad oes gennych chi fawr iawn o reolaeth ac na fydd yn bosib datrys y problemau ar unwaith. Er enghraifft, does gennych chi ddim rheolaeth dros gyfraddau morgais, a does dim allwch chi'i wneud ar hyn o bryd i sicrhau lle yn y brifysgol i'ch plentyn chwe blwydd oed. Yn yr achosion hyn, efallai mai'r nod yw rheoli'r gorbryder drwy ddysgu i oddef ansicrwydd yn well, ailystyried eich pryderon, a gweithio i leihau gymaint rydych chi'n pryderu.

Cyn i chi ddechrau gweithio ar bryderu llai, mae'n rhaid i chi adnabod a chydnabod eich pryderon. Ydych chi'n pryderu am broblemau cyfredol? Neu am sefyllfaoedd damcaniaethol? Ydych chi'n dychmygu neu'n canolbwyntio ar ganlyniadau trychinebus posib? Ydych chi'n credu mai dyna sy'n debygol? Ydych chi'n pryderu am eich gallu i ymdopi? Y cam cyntaf i reoli pryder yw adnabod y pethau sy'n peri pryder i chi.

Am beth rydych chi'n pryderu? Adnabod meddyliau gorbryderus

Cyn i chi ddechrau gweithio ar leihau'ch pryder, bydd angen i chi adnabod pryd rydych chi'n pryderu a sylwi pa feddyliau sy'n eich gwneud yn orbryderus. Gall hyn fod yn anodd os ydych chi wedi hen arfer pryderu, a bod y meddyliau'n cronni'n gyflym ac yn awtomatig, i'r fath raddau fel nad ydych chi hyd yn oed yn sylwi'ch bod chi'n cael y meddyliau hynny! Felly pryd bynnag y byddwch chi'n dechrau teimlo'n orbryderus, rhowch sylw manwl i'r hyn sy'n mynd drwy'ch meddwl yr adeg honno.

Efallai'ch bod yn meddwl pethau fel 'Alla i ddim ymdopi' neu 'Beth os ydw i'n gwneud cawl o bethau?' neu efallai fod gennych ddarluniau yn eich meddwl, fel delwedd o ddamwain car neu chi'ch hun yn gwneud rhywbeth sy'n codi cywilydd arnoch. Gall y ddau fath o feddwl achosi lefelau uchel o orbryder.

Un ymateb defnyddiol yw cadw 'cofnod meddyliau' o sefyllfaoedd sy'n gwneud i chi orbryderu a beth sy'n mynd drwy'ch meddwl wrth i'r gorbryder gynyddu. Gwnewch hyn drwy nodi beth roeddech chi'n ei wneud wrth i chi ddechrau gorbryderu. Yna gofynnwch i chi'ch hun beth oedd ar eich meddwl pan ddechreuoch chi orbryderu. (Os oedd gennych chi ddarlun yn eich pen, disgrifiwch y darlun.)

Yn olaf, cofnodwch sut roeddech chi'n teimlo – eich emosiynau. Nid gorbryder yw'r unig bosibilrwydd. Er enghraifft, gallech hefyd fod yn teimlo'n nerfus, mewn panig neu'n ddiamynedd.

Dyma enghraifft o gofnod meddyliau.

Sefyllfa	**Beth oedd ar fy meddwl i?**	**Sut wnaeth hyn i mi deimlo?**
Ffrind yn canslo cyfarfod am ginio	Pam wnaeth hi ganslo? Efallai ei bod hi'n grac gyda fi.	Pryderus, gorbryderus
Cyfarfod yn y gwaith	Dydy fy ngwaith i ddim yn ddigon da Bydd pawb yn meddwl 'mod i'n dda i ddim. Beth os ydw i'n cael y sac?	Gorbryderus, mewn panig

Gair o gyngor

Weithiau, mae meddyliau gorbryderus yn saethu fel mellt, ac yn taro'n gyflym iawn – heb i chi dalu llawer o sylw. Felly, mae'n well meddwl am feddyliau gorbryderus pan ydych chi'n orbryderus. Os arhoswch chi nes i'r sefyllfa dawelu, mae'n bosib na fyddwch chi'n gallu cofio'n union beth roeddech chi'n ei feddwl.

Mewn llyfr nodiadau, neu ar ddarn o bapur, copïwch y penawdau yn yr enghraifft uchod a defnyddiwch y ffurflen hon i gofnodi sefyllfaoedd sy'n peri gorbryder, eich meddyliau a'ch emosiynau. Efallai y byddai'n ddefnyddiol i chi wneud hyn am wythnos neu ddwy er mwyn cael sampl dda o gynnwys eich pryderon. Ar ddiwedd y cyfnod hwnnw, edrychwch ar eich cofnod meddyliau. Beth sy'n eich taro chi?

- Ydy'ch meddyliau'n rhai 'eithafol' – ydych chi'n pryderu am ganlyniadau posib sy'n ofnadwy?
- Ydych chi'n pryderu bod y canlyniadau ofnadwy hyn yn debygol o ddigwydd?
- Ydych chi'n sylwi ar unrhyw 'gadwyno' – pan fydd y naill bryder yn arwain at y llall, ac yna un arall ac yn y blaen?
- Ydych chi'n pryderu am eich gallu i ymdopi?
- Ydych chi'n pryderu am broblemau cyfredol neu sefyllfaoedd damcaniaethol? Neu'r ddau?

Weithiau, mae pobl sy'n orbryderus yn pryderu y gallai rhoi sylw i'w pryderon wneud eu gorbryder yn waeth. Cofiwch, mae'r pryderon yno eisoes ac rydych chi'n rhoi sylw iddyn nhw'n barod! Y nod yw ystyried eich pryderon mewn ffordd ddefnyddiol, nid mewn ffordd sy'n mynd i'w gwneud nhw'n waeth.

Strategaethau i helpu i reoli pryder a meddyliau gorbryderus

Mae sawl ffordd o ddechrau gweithio ar reoli'n well, ac yn y pen draw leihau eich meddyliau gorbryderus. Bydd yr adrannau canlynol yn rhoi sylw i sawl strategaeth wahanol y gallwch eu defnyddio i'ch helpu i ymdopi â phryderu. Efallai y bydd rhai o'r strategaethau hyn yn fwy neu'n llai defnyddiol, yn dibynnu ar y math o bryder sy'n berthnasol i chi (trafodir hyn yn fanylach isod). Y nod yw eich helpu i ddatblygu pecyn o strategaethau a fydd yn gymorth i reoli pryderu problemus.

Herio'r meddyliau sy'n eich gwneud yn orbryderus

Edrychwch ar eich cofnod o feddyliau gorbryderus. Ydych chi'n sylwi ar unrhyw arwyddion o feddwl 'eithafol' – pryderu am ganlyniadau ofnadwy posib i sefyllfaoedd? Ydych chi'n meddwl bod y canlyniadau ofnadwy hyn yn eithaf tebygol? Ydych chi'n pryderu am eich gallu i ymdopi? Un ffordd o gynorthwyo gyda'r math hwn o orbryder yw ystyried yn ofalus ai dyma'r ffordd fwyaf realistig o feddwl am bethau, neu a oes dewis arall mwy cytbwys. Mae meddyliau sy'n peri pryder yn aml yn unochrog ac yn seiliedig ar ddyfalu a gorliwio, yn hytrach nag ar ffeithiau. Gall dysgu sut i feddwl am yr un sefyllfa mewn ffordd fwy cytbwys eich helpu i dorri cylch dieflig gorbryder, fel eich bod chi'n teimlo'n llai gorbryderus ac yn gallu ymdopi ag anawsterau'n well. Gall y math yma o strategaeth fod yn ddefnyddiol ar gyfer y problemau sydd gennych chi ar hyn o bryd a'r sefyllfaoedd damcaniaethol sy'n peri pryder i chi.

Ar y dechrau, bydd hi'n anodd herio'ch meddyliau gorbryderus. Mae'r dechneg o herio meddyliau (gweler isod) yn ffordd gydnabyddedig o'ch helpu chi i wneud hyn. Gall fod yn anodd ar y dechrau, ond wrth i chi ddal ati i ymarfer, daw'n haws i chi ac yn fwy 'naturiol'.

I ddatblygu ffordd fwy hyderus o feddwl, gofynnwch y pum cwestiwn canlynol i chi'ch hun:

- A oes unrhyw resymau da i fod mor bryderus?
- A oes unrhyw resymau da i beidio â bod mor bryderus?
- A oes ffordd arall o edrych ar hyn?
- Beth yw'r peth gwaethaf a allai ddigwydd?
- Beth alla i ei wneud yn ei gylch?

Rydyn ni'n trafod pob un o'r cwestiynau hyn yn fanylach isod.

A oes unrhyw resymau da i fod mor bryderus?

Wrth ateb y cwestiwn hwn, gofynnwch i chi'ch hun:

- Beth yw ffeithiau'r sefyllfa?
- Ydy'r ffeithiau'n ategu'r hyn dwi'n ei feddwl neu ydyn nhw'n mynd yn groes iddo?
- A fyddai rhywun arall yn meddwl bod fy meddyliau'n seiliedig ar ffeithiau?

A oes unrhyw resymau da i beidio â bod mor bryderus?

Nawr, gofynnwch i chi'ch hun a oes unrhyw resymau posib pam na ddylech chi feddwl fel hyn. Efallai y bydd eich atebion i'r cwestiynau cyntaf yn rhoi cliwiau i chi pam nad oes angen i chi fod mor bryderus. Ffordd arall o wneud hyn yw meddwl am bethau a ddigwyddodd yn y gorffennol sy'n gwrth-ddweud eich pryder presennol. Neu ceisiwch gofio adegau pan oeddech chi'n pryderu am rywbeth tebyg ac roeddech chi'n anghywir. Gallwch hefyd geisio gofyn y cwestiynau canlynol i chi'ch hun:

- Ydw i'n penderfynu cyn ystyried yr holl ffeithiau?
- Ydw i'n rhagweld y dyfodol?
- Ydw i'n dyfalu beth mae pobl eraill yn ei feddwl?
- Ydw i'n meddwl bod hyn yn fwy tebygol o ddigwydd nag y mae?
- Fydd y broblem yma'n dal i fod yn broblem ymhen wythnos / mis / blwyddyn?

A oes ffordd arall o edrych ar hyn?

Beth bynnag rydych chi'n pryderu amdano, mae yna ffordd arall fwy defnyddiol o edrych ar y broblem bron bob amser. Ond pan fyddwch chi'n orbryderus, gall ymddangos yn amhosib gweld yr ateb yn glir. Efallai y byddai safbwynt rhywun arall yn ddefnyddiol fan hyn – felly gofynnwch i chi'ch hun beth fyddai rhywun arall, ffrind agos y mae gennych feddwl mawr ohono/ohoni efallai, yn ei feddwl yn eich sefyllfa chi. Fel arall, ystyriwch yr hyn fyddech chi'n ei ddweud wrth ffrind mewn sefyllfa debyg.

Mae'n rhaid i'r meddyliau amgen gewch chi fod yn realistig – os nad ydyn nhw, fyddwch chi ddim yn eu credu, mae mor syml â hynny. Dylech feddwl yn ofalus am y safbwynt arall er mwyn penderfynu a yw'n fwy realistig ac yn fwy o gymorth na'r hyn oedd yn gwneud i chi bryderu yn y lle cyntaf.

Beth yw'r peth gwaethaf a allai ddigwydd?

Mae'n debygol bod unrhyw un sy'n cael trafferthion gorbryder yn hel meddyliau am bethau drwg a allai ddigwydd yn y dyfodol. Gall y meddyliau hyn fod yn annifyr iawn, felly byddwch yn eu gwthio o'ch meddwl heb eu hystyried yn ofalus. Ond mae angen i chi wynebu'r meddyliau hyn a gofyn i chi'ch hun, 'Beth yw'r peth gwaethaf a allai ddigwydd?' Gall hyn ddangos:

- Bod eich ofn gwaethaf mor eithafol, mae'n hynod annhebygol o ddigwydd, os nad yn amhosib.
- Efallai fod y sefyllfa rydych chi'n ei hofni yn llawer llai tebygol o ddigwydd nag roeddech chi wedi'i ragweld.
- Hyd yn oed os yw'ch ofn gwaethaf yn cael ei wireddu, mae'n bosib y byddwch yn gallu ymdopi'n well nag roeddech chi wedi'i feddwl yn wreiddiol.

Pan fyddwch chi wedi penderfynu beth yw eich ofn gwaethaf, gofynnwch i chi'ch hun: 'Pa mor debygol ydy hyn o ddigwydd mewn gwirionedd?' Mae'n bosib mai dyma'r cyfan y bydd ei angen i roi'r mater yn ei gyd-destun. Gall fod yn fwy defnyddiol fyth i fynd gam ymhellach a holi'ch hun: 'Sut fyddwn i'n ymdopi pe bai hyn yn digwydd?' Peidiwch â synied yn rhy isel am eich gallu. Mae'n debyg bod gennych chi brofiadau blaenorol a sgiliau personol a fyddai'n eich helpu i ymdopi mewn sefyllfaoedd anodd (gweler isod).

Beth alla i ei wneud yn ei gylch?

Gofynnwch i chi'ch hun:

- Ydw i wedi delio â sefyllfaoedd tebyg neu â sefyllfaoedd eraill oedd yn peri straen yn y gorffennol? Beth wnes i bryd hynny a allai fy helpu i'r tro yma?
- Pa sgiliau neu alluoedd sydd gen i a allai fy helpu i ymdopi â'r sefyllfa?

- Pa gyngor fyddwn i'n ei roi i ffrind a oedd mewn sefyllfa debyg?
- At bwy alla i droi am gymorth, cefnogaeth neu gyngor?
- Ydy'r holl ffeithiau angenrheidiol gen i? Os na, sut alla i gael gafael ar ragor o wybodaeth?

Mae angen i chi ofyn i chi'ch hun beth allwch chi ei wneud yn y dyfodol agos i ddelio â'r sefyllfa, a pharatoi cynllun penodol. Os ydych chi'n meddwl y gallai ychydig o gymorth i ddatrys problem fod o les, edrychwch ar yr adran honno yn y llyfr hwn (gweler tudalennau 72–5).

Mae enghraifft isod o'r ffordd mae herio meddyliau yn gweithio.

Yn eich llyfr nodiadau, copïwch y pum cwestiwn isod a'u defnyddio i ymarfer adnabod eich meddyliau gorbryderus a'u herio. Cofiwch, daw'n haws wrth i chi ymarfer.

Herio meddyliau ar waith

Meddwl pryderus: 'Mae'n rhaid i mi gyflwyno canlyniadau'r prosiect rydw i wedi bod yn gweithio arno. Bydd fy ngoruchwylydd yn feirniadol ac yn siomedig gyda safon fy ngwaith.'

Oes yna unrhyw resymau da i fod mor bryderus? Mae fy ngoruchwylydd wedi bod yn feirniadol o'r blaen, ond mae hi'n feirniadol o bawb.

Oes yna unrhyw resymau da i beidio â bod mor bryderus? Fe wnes i weithio'n galed ar y prosiect a'i orffen yn brydlon, a gwneud gwaith eithaf da. Roeddwn i'n pryderu am sefyllfa debyg ychydig fisoedd yn ôl, ond roedd popeth yn iawn bryd hynny. Mae fy ngoruchwylydd wedi canmol fy ngwaith yn y gorffennol. Mae fy nghyd-weithwyr wedi dweud 'mod i'n gweithio'n galed ac yn gwneud gwaith da. Dwi'n meddwl 'mod i'n mynd o flaen gofid wrth boeni y bydd fy ngoruchwylydd yn feirniadol.

Oes yna ffordd arall o edrych ar hyn? Efallai y bydd fy ngoruchwylydd yn fodlon â'r adroddiad. Hyd yn oed os ydy hi'n gweld rhai beiau, fydd hynny ddim yn golygu bod yr adroddiad cyfan yn fethiant.

Beth yw'r peth gwaethaf a allai ddigwydd? Efallai y bydd hi'n meddwl bod yr adroddiad yn ddiwerth ac y bydda i'n colli fy ngwaith. Mewn difrif, dwi'n credu ei bod yn annhebygol iawn y bydda i'n colli fy swydd oherwydd hyn. Mae'n annhebygol y bydd hi'n meddwl bod yr adroddiad yn ddiwerth. Pe bawn i'n cael fy niswyddo, byddwn yn chwilio am swydd newydd. Mae gen i lawer o brofiad, felly ni ddylai fod yn rhy anodd dod o hyd i waith yn weddol sydyn.

Beth alla i ei wneud am y peth? Mae'r adroddiad wedi'i gwblhau nawr, felly does fawr ddim i'w wneud ond aros. Os bydd fy ngoruchwylydd yn feirniadol, fe fydda i'n newid ychydig ar yr adroddiad. Bydd yn bwysig ystyried ei beirniadaeth yn bwyllog, heb fynd dros ben llestri'n llwyr. Os ydw i'n teimlo dan straen, efallai y byddai hefyd yn syniad da cael gair â'm cyd-weithwraig, Sally, fel 'mod i'n gallu cael ei safbwynt hi.

Ailystyried yr hyn rydych chi'n ei gredu am bryder

I rai, nid cynnwys eu pryderon ydy'r broblem. Efallai y bydd herio meddyliau'n helpu ryw fymryn, ond pan fyddan nhw'n cael gwared ar un pryder, mae un arall yn cymryd ei le yn fuan iawn. I bobl sy'n cael trafferthion gyda phryder, yr hyn maen nhw'n ei gredu am bryderu sy'n aml yn achosi'r broblem. Mae rhai pobl o'r farn bod pryderu'n beth defnyddiol – er enghraifft, efallai eu bod yn credu bod pryder yn eu helpu i baratoi, yn eu cymell, yn eu hatal rhag teimlo'n ofidus neu'n siomedig yn y dyfodol, neu'n atal canlyniadau negyddol. Os yw rhywun yn credu bod rhyw fath o ddaioni i bryderu, gall fod yn anodd iawn peidio â gwneud! Mae eraill yn credu bod pryderu'n amhosib ei reoli, neu'n niweidiol mewn rhyw ffordd. Mae hyn yn tueddu i arwain at 'bryderu am bryderu', sy'n datblygu'n broblem ynddi hi ei hun.

Rhan bwysig iawn o reoli gorbryder a phryder yw cydnabod a ydych yn credu rhai o'r pethau hyn am bryderu – ac os ydych chi, ailystyried hynny yn wyneb ffeithiau am orbryder.

Herio syniadau cadarnhaol am bryder

Mae'r rhan fwyaf o bobl sy'n profi gorbryder trafferthus yn cydnabod yn ddigon parod eu bod yn pryderu gormod. Fodd bynnag, gall pobl weithiau gredu bod pryderu'n gwneud daioni – cyfeiriwn at hyn fel syniadau cadarnhaol am bryderu. Er enghraifft, efallai eich bod yn credu bod pryderu'n eich helpu i baratoi ar gyfer problemau, neu'n eich gwarchod rhag profi emosiynau negyddol yn y dyfodol, neu ei fod hyd yn oed yn eich 'gwarchod' chi mewn rhyw ffordd rhag pethau drwg. Gall fod yn anodd adnabod syniadau cadarnhaol am bryderu. Mewn gwirionedd, dydy'r rhan fwyaf o bobl sy'n credu bod pryderu'n ddefnyddiol neu fod ganddo bwrpas buddiol ddim hyd yn oed yn ymwybodol eu bod yn credu'r fath bethau – nes y byddan nhw'n edrych yn fwy gofalus.

Os oes gennych chi syniadau cadarnhaol am bryderu, bydd yn anodd iawn i chi bryderu llai neu roi'r gorau i bryderu. Mae hyn yn gwneud synnwyr, o'i ystyried. Pam fyddech chi'n rhoi'r gorau i bryderu a chithau'n meddwl fod ganddo bwrpas defnyddiol? O ganlyniad, mae'n bwysig iawn adnabod syniadau cadarnhaol am bryderu – os ydych chi'n credu syniadau o'r fath ac nad ydych chi'n gwneud dim i'w newid nhw, bydd yn anodd i chi roi'r gorau i bryderu.

Dyma i chi syniadau cadarnhaol cyffredin am bryderu:

- Mae pryderu yn fy helpu i ddatrys problemau.
- Mae pryderu yn fy helpu i ymdopi.
- Os bydda i'n pryderu, fe fydda i'n gallu atal pethau drwg rhag digwydd.
- Os bydda i'n pryderu, wna i ddim temtio ffawd.
- Os bydda i'n pryderu, fe fydda i'n barod.
- Gall pryderu fy atal rhag profi emosiynau negyddol yn y dyfodol.
- Mae pryderu'n golygu 'mod i'n berson gofalgar.

Gofynnwch i chi'ch hun: A oes unrhyw reswm pam na ddylwn i roi'r gorau'n llwyr i bryderu? Beth yw'r rhesymau? Beth allai ddigwydd pe bawn i'n rhoi'r gorau i bryderu?

Ysgrifennwch eich atebion yn eich llyfr nodiadau.

Cofiwch: gall credu'r syniadau hyn eich argyhoeddi y dylech fod yn pryderu. Does fawr o syndod felly y gallan nhw eich arwain at bryderu mwy nag erioed. Mae'n bwysig iawn ystyried a ydych chi'n meddwl am bryderu mewn modd cadarnhaol, ac os felly, eich bod yn pwyso a mesur y dystiolaeth o blaid ac yn erbyn y syniadau hyn. Yn yr adran nesaf, rydyn ni'n dangos i chi sut i wneud hyn.

Rydyn ni nawr am awgrymu sut allwch chi archwilio eich meddyliau am effeithiau cadarnhaol pryderu a datblygu ffordd decach a mwy realistig o feddwl ynghylch pa mor ddefnyddiol (neu ddiwerth!) yw pryderu.

Manteision ac anfanteision pryderu

Dechreuwch drwy bwyso a mesur manteision ac anfanteision pryderu. Mae rhai enghreifftiau o sut allech chi wneud hyn yn y tabl isod.

Manteision pryderu	**Anfanteision pryderu**
Mae pryderu'n fy helpu i ymdopi.	Mae pryderu yn fy ngwneud i'n orbryderus ac yn ddiflas. Dwi ddim wir yn meddwl 'mod i'n datrys unrhyw broblem drwy bryderu. Os ydw i'n orbryderus iawn, mae'n fwy anodd i mi ddatrys problemau.
Os ydw i'n pryderu, fe fydd yn haws i fi ymdopi petai'r broblem yn digwydd go iawn.	Dwi'n treulio gormod o amser yn pryderu – mae'n wastraff amser. Dydy'r rhan fwyaf o bethau dwi'n pryderu amdanyn nhw ddim yn digwydd. Mae'n debyg nad yw pryderu yn fy helpu i baratoi – mae'n siŵr y byddwn i'n delio â'r broblem yn union yr un fath pe bawn i heb bryderu ymlaen llaw.
Mae pryderu yn fy ngwarchod i rhag profi emosiynau negyddol yn y dyfodol.	Mae pryderu'n gwneud i fi deimlo'n ofnadwy – mae'n creu emosiwn negyddol. Mae'n debyg y byddwn i'n drist pe bai rhywbeth ofnadwy'n digwydd, er imi bryderu am y peth ymlaen llaw.

Nawr, ceisiwch lenwi siart fel hyn ar eich cyfer chi. Gall meddwl a rhestru'r manteision a'r anfanteision fel hyn fod yn ddigon i'ch helpu i sylweddoli faint yn union o anfanteision sydd i bryderu.

Pwyso a mesur y dystiolaeth

Gall canolbwyntio ar y rheswm dros gredu rhai pethau am effeithiau cadarnhaol pryderu fod yn ymarfer defnyddiol. Gofynnwch y cwestiynau canlynol i chi'ch hun:

- A oes gen i unrhyw dystiolaeth dros gredu hyn?
- Os felly, a oes eglurhad arall yn bosib?
- A oes gen i unrhyw dystiolaeth i wrthbrofi'r hyn dwi'n ei gredu?
- A fyddwn i'n gallu delio â sefyllfa wael pe na bawn i wedi pryderu amdani ymlaen llaw?
- Wrth bryderu, ydw i wir yn datrys problemau? Neu a ydw i'n hel yr un hen feddyliau, heb ddod o hyd i ateb?
- Alla i feddwl am unrhyw adegau yn fy mywyd pan na wnes i bryderu a bod y sefyllfaoedd wedi diweddu'n gadarnhaol?
- Ydy pryderu yn atal pethau drwg rhag digwydd go iawn, neu'n gwneud pethau da yn fwy

tebygol? Neu a fydd pethau da a drwg yn digwydd, p'un a ydw i'n pryderu ai peidio?

- Ydy pryderu yn fy helpu i ymdopi go iawn, neu a yw'n ymyrryd â fy ngallu i ymdopi?
- Beth yw gwir effeithiau pryderu – sut mae'n effeithio ar fy mywyd?
- Pa mor aml mae fy mhryder yn adlewyrchu realiti mewn gwirionedd? Pa mor aml ydw i'n mynd o flaen gofid wrth feddwl y bydd rhywbeth yn mynd o'i le?
- Pa mor aml mae fy mhryder i yn werth y drafferth, go iawn?
- Pe bawn i'n peidio â phryderu, a fyddai'n golygu mewn gwirionedd nad oeddwn i'n hidio am neb na dim?
- Ydw i'n gwybod am unrhyw bobl ofalgar nad ydyn nhw fel petaen nhw'n pryderu cymaint ag ydw i?
- A oes unrhyw beth ar wahân i bryderu sy'n dangos fy mod i'n hidio am rywbeth neu rywun?
- Pe bai rhywbeth drwg yn digwydd, a fyddwn i'n llai gofidus pe bawn i wedi pryderu ymlaen llaw?
- A oes rhywbeth drwg wedi digwydd yn fy mywyd erioed, er 'mod i wedi pryderu amdano?

Defnyddiwch y cwestiynau hyn yn yr ymarfer canlynol. Cofiwch fod angen i chi ystyried y dystiolaeth o blaid ac yn erbyn eich syniadau cadarnhaol am bryderu.

Ar dudalen newydd yn eich llyfr nodiadau, ysgrifennwch y pennawd:

Beth ydw i'n ei gredu neu'n ei feddwl am effeithiau cadarnhaol pryderu neu pa mor ddefnyddiol ydyw?

Yna ysgrifennwch yr hyn rydych chi'n ei gredu neu'n ei feddwl.

O dan hwn, ysgrifennwch benawdau newydd i ddwy golofn: 'Prawf bod y syniad hwn yn wir' a 'Prawf nad yw'r syniad hwn yn wir'.

O dan bob pennawd, rhestrwch y dystiolaeth o blaid ac yn erbyn eich syniad.

Defnyddiwch y cwestiynau ar dudalennau 54–5 fel canllaw.

Rydych chi bellach wedi ystyried manteision ac anfanteision pryderu, ac wedi pwyso a mesur y dystiolaeth o blaid ac yn erbyn yr hyn rydych chi'n ei gredu am effeithiau cadarnhaol pryderu. Ar sail yr holl wybodaeth, dylech bellach allu ffurfio ffordd newydd, fwy realistig o feddwl neu gredu ynghylch effeithiau pryderu. Er enghraifft, yn lle credu rhywbeth fel, 'Os bydda i'n pryderu, fe fydda i'n fwy parod', fe allech chi feddwl hyn yn lle hynny: 'Dydy pryderu ddim yn fy helpu i baratoi i ddelio â phroblemau – mae'n gwneud i mi deimlo'n bryderus a dwi'n teimlo'n ofnadwy. Dwi'n gallu delio â phroblemau, p'un a ydw i'n pryderu ai peidio.'

Nawr, ysgrifennwch yn eich llyfr nodiadau syniad neu gred arall, mwy realistig, am effaith pryderu.

Atgoffwch eich hun o'r gred newydd hon pryd bynnag rydych chi'n pryderu. Bydd angen ymarfer hyn! Mae'n debyg y byddwch yn sylwi bod angen i chi eich atgoffa'ch hun am hyn yn barhaus. Bydd angen ymarfer er mwyn newid rhywbeth rydych chi wedi'i gredu ers tro byd, ond mae'n bosib gwneud hynny.

Gwerthuso'r 'hen' syniadau a'r syniadau 'newydd' am bryderu

Bellach, mae syniadau(au) 'newydd' am bryderu sy'n fwy defnyddiol a rhesymegol wedi disodli'ch 'hen' syniad(au) am bryderu. I'ch argyhoeddi'ch hun ymhellach fod eich syniad 'newydd' am bryderu yn gywir ac yn ddefnyddiol, efallai yr hoffech chi roi cynnig ar ambell arbrawf i'ch helpu i werthuso'r syniadau hyn.

Rhowch gynnig ar yr ymarferion isod i'ch helpu i gymharu hen syniad(au) â syniad(au) newydd am effeithiau pryderu.

Gwerthuso hen syniadau

Meddyliwch am adeg pan oeddech chi'n pryderu am ddigwyddiad oedd i ddod, fel mynd i barti neu i le anghyfarwydd. Nawr, disgrifiwch mor fanwl â phosib y meddyliau gorbryderus a gawsoch. Cofiwch gynnwys unrhyw syniadau a gawsoch am ganlyniadau negyddol posib.

Nesaf, ceisiwch gofio beth ddigwyddodd mewn gwirionedd, a gwnewch gofnod ysgrifenedig ohono.

Pa mor gywir oedd eich pryderon? A oedd eich meddyliau gorbryderus yn ddefnyddiol fel strategaeth ymdopi? Cofnodwch a oedd eich pryderon yn ddefnyddiol ai peidio.

A chithau nawr wedi rhoi cynnig ar yr ymarfer hwn gyda rhywbeth a ddigwyddodd yn y gorffennol, rhowch gynnig arni gyda sefyllfa sydd i ddod sy'n destun gofid i chi. Cofnodwch eich holl feddyliau pryderus cyn y digwyddiad ac yna cofnodwch beth ddigwyddodd mewn gwirionedd. Unwaith eto, dylech ofyn i chi'ch hun – pa mor gywir oedd eich pryderon? A oedd eich meddyliau pryderus yn ddefnyddiol fel strategaeth ymdopi?

Ceisiwch beidio â phryderu!

Un o'r ffyrdd gorau o ddarganfod a ydy pryderu yn helpu mewn gwirionedd yw aros a gweld beth sy'n digwydd. Rhowch gynnig ar yr arbrawf canlynol:

- Am ddiwrnod, daliwch ati i bryderu. Cofnodwch beth sy'n digwydd drwy gydol y dydd. Hefyd, cofnodwch pa mor orbryderus rydych chi'n teimlo ar raddfa o 0 i 100 y cant.

- Y diwrnod nesaf, peidiwch â phryderu. Rhowch ganiatâd i chi'ch hun ollwng eich pryderon. Cofnodwch beth sy'n digwydd drwy gydol y dydd. Gwnewch nodyn hefyd o ba mor orbryderus rydych chi'n teimlo ar raddfa o 0 i 100 y cant.

- Cadwch ddyddiau 'pryderu' a 'pheidio â phryderu' am yn ail am wythnos neu ddwy. Yna cymharwch eich cofnodion ar gyfer dyddiau 'pryderu' a dyddiau 'peidio â phryderu'. Gofynnwch i chi'ch hun: a oedd pryderu yn helpu go iawn? Beth oedd effaith pryderu ar eich lefelau gorbryder?

Os ydych chi'n rhoi cynnig ar yr ymarferion uchod, cadwch gofnod o'r canlyniad. Defnyddiwch eich canfyddiadau i ddiweddaru'r ymarferion herio meddyliau rydych wedi bod yn gweithio arnyn nhw wrth fynd drwy'r rhan hon o'r llyfr.

Herio syniadau negyddol ynglŷn â phryderu

Rydyn ni wedi sôn am sut mae credu bod pryderu yn ddefnyddiol neu fod iddo ddiben buddiol yn gallu cynnal y cylch pryderu. Ond nid dyma'r unig fath o gred neu syniad am bryderu sy'n gallu bod yn broblem. Mae rhai pobl yn credu bron yn llwyr i'r gwrthwyneb – bod pryderu'n niweidiol iddyn nhw mewn rhyw ffordd, neu nad oes modd ei reoli. Gellir meddwl am hyn fel 'pryderu am bryderu'. Efallai y byddwch hyd yn oed yn gweld eich bod yn credu yn y ddwy agwedd ar bryderu – ar y naill llaw, rydych yn credu bod rhywfaint o fudd i bryderu, ond ar y llaw arall rydych yn pryderu na allwch gadw trefn arno na'i reoli, neu y gall yr holl bryderu gael effaith niweidiol ar eich iechyd.

Yn yr adran hon, byddwn yn edrych ar yr hyn mae pobl yn ei gredu am effeithiau negyddol pryderu a sut i ddelio â'r broblem hon.

Mae credoau ynglŷn ag effeithiau negyddol pryderu yn aml yn perthyn i un o'r categorïau canlynol:

Dwi'n pryderu am fod fy mhryderu 'allan o reolaeth'

Efallai y cewch eich plagio gan feddyliau fel 'Alla i

ddim peidio â phryderu' neu 'Mae fy mhryderon yn mynd i gymryd drosodd a fy rheoli i'.

Dwi'n pryderu bod pryderu'n gwneud drwg i mi

Efallai eich bod yn meddwl, 'Fe allwn i fynd yn wallgof wrth bryderu' neu, 'Dydy pryderu ddim yn normal' neu, 'Os dwi'n parhau i bryderu, fe ga i chwalfa nerfol' neu, 'Os dwi'n parhau i bryderu, fe fydda i'n cael trawiad ar y galon'.

Os ydych chi'n ofni eich bod yn methu rheoli'ch pryder neu ei fod yn gwneud drwg i chi, yna rydych chi'n debygol o bryderu mwy, nid llai. Bydd hyn yn gwneud i chi deimlo'n fwy gorbryderus, ac felly byddwch yn pryderu mwy – cylch dieflig arall eto. Fel pryderon eraill, mae'r meddyliau hyn yn tueddu i fod yn unochrog ac yn seiliedig ar or-ddweud, a dydyn nhw ddim yn ddefnyddiol.

Os ydych chi'n teimlo fel hyn, darllenwch yr adrannau canlynol a rhowch gynnig ar rai o'r ymarferion.

Dwi'n pryderu am fod fy mhryderu 'allan o reolaeth'

Os ydych chi'n teimlo fel pe bai eich pryderu wedi meddiannu'ch bywyd yn gyfan gwbl, efallai eich bod yn credu mai ychydig iawn allwch chi ei wneud am y peth.

Ond gadewch i ni ystyried hyn yn fanylach. Meddyliwch sut mae pethau fel arfer pan fyddwch chi'n pryderu ac yn orbryderus, yna gofynnwch y cwestiynau canlynol i chi'ch hun:

- Ydw i'n rhoi'r gorau i bryderu yn y pen draw?
- Alla i feddwl am adegau pan ddigwyddodd rhywbeth (e.e. y ffôn yn canu) i dorri ar draws y pryderu neu i wneud iddo beidio? Beth ddigwyddodd?
- Alla i feddwl am adegau pan wnes i rywbeth (e.e. troi'r teledu ymlaen neu wneud paned o de) a dorrodd ar draws y pryderu neu a wnaeth iddo beidio? Beth wnes i?
- Ydw i erioed wedi llwyddo i atal fy hun rhag pryderu drwy dynnu fy sylw at rywbeth arall?

A chithau nawr wedi meddwl yn fwy gofalus am eich pryder a'ch gallu i roi'r gorau i bryderu, mae'n amser da i chi nodi'ch casgliadau. Er enghraifft, efallai eich bod wedi sylweddoli nad ydych chi'n pryderu drwy'r amser a'ch bod yn gallu torri ar draws eich pryder weithiau. Mae hyn yn dangos bod gennych chi fwy o reolaeth ar eich pryder nag yr oeddech chi wedi'i feddwl. Edrychwch ar eich atebion i'r cwestiynau uchod ac yna gofynnwch i chi'ch hun: 'Beth mae hyn yn ei ddangos am fy ngallu i reoli fy mhryder?' Cofnodwch eich ateb.

Y broblem gyda cheisio 'rheoli' eich meddyliau

Cyn gynted ag y byddwch chi'n ceisio peidio â meddwl am rywbeth, byddai'r rhan fwyaf o bobl yn cytuno eich bod yn meddwl amdano'n fwy nag erioed! Felly mae syniad sy'n peri gwewyr yn codi'n amlach ac yn destun gofid.

Gallwch brofi'r pwynt hwn drwy wneud yr arbrawf canlynol:

Am y ddau funud nesaf, peidiwch â meddwl am eliffant pinc. Peidiwch â gadael i syniad neu ddarlun o eliffant pinc groesi'ch meddwl.

Beth ddigwyddodd? Mae'r rhan fwyaf o bobl sy'n rhoi cynnig ar yr arbrawf hwn yn dweud eu bod wedi cael anhawster peidio â meddwl am eliffant pinc, neu fod delwedd o eliffant pinc yn mynnu dod i'r meddwl. Mae'n anarferol iawn i rywun ddweud nad oedd wedi meddwl am eliffantod pinc o gwbl.

Felly, beth sy'n digwydd pan fyddwch chi'n ceisio peidio â meddwl am bryder, neu am rywbeth a allai achosi pryder? Yn hytrach na'ch helpu i beidio â meddwl am rywbeth, mae'r ymdrechion hyn yn ei gwneud yn fwy tebygol y byddwch chi'n dechrau pryderu, neu'n parhau i bryderu.

Hynny yw, mae ceisio gorfodi'r pryder allan o'ch meddwl a 'pheidio â meddwl amdano' yn eithaf sicr o wneud i chi bryderu.

Y ffaith drist amdani yw po fwyaf y byddwch chi'n ceisio peidio â meddwl am rywbeth, mwya'n byd y byddwch chi'n meddwl am yr union beth hwnnw. Yn waeth fyth, bydd hynny'n siŵr o'ch darbwyllo (ar gam) eich bod yn methu rheoli'ch pryderu. Yr hyn sydd ei angen arnoch yw strategaeth sy'n llai tebygol o wneud y broblem yn waeth, fel cyfnodau pryderu wedi'u rheoli.

Cyfnodau pryderu wedi'u rheoli

I ddefnyddio cyfnodau pryderu wedi'u rheoli, dilynwch y tri cham syml hyn:

- Cyn gynted ag y byddwch yn sylwi eich bod yn pryderu, gohiriwch hynny drwy ddweud wrthych eich hun y byddwch yn caniatáu amser i chi'ch hun bryderu am y broblem yn ddiweddarach yn ystod y diwrnod.
- Dewiswch adeg o'r dydd i roi chwarter awr i chi'ch hun i bryderu (yn ddelfrydol, nid yn yr awr neu ddwy cyn mynd i'r gwely).
- Pan fydd yr amser hwnnw'n cyrraedd, caniatewch i chi'ch hun bryderu am chwarter awr (gosodwch larwm os oes angen eich atgoffa!). Dim ond os ydych chi'n dal i deimlo bod angen pryderu y dylech chi dreulio'r amser yn pryderu. Os nad yw'r broblem yn ymddangos

yn bwysig bellach, peidiwch â threulio amser yn pryderu amdani.

Mae gohirio'ch pryderon yn wahanol i geisio eu ffrwyno neu eu hanwybyddu. Pan fyddwch chi'n gohirio pryder, dydych chi ddim yn dweud wrth eich meddwl am roi'r gorau i bryderu. Yn hytrach, rydych chi'n gofyn i'ch meddwl wthio'r pryder o'r neilltu am ychydig er mwyn i chi allu canolbwyntio ar bethau eraill. Yn ddiweddarach, byddwch yn gadael i'ch meddwl ddod yn ôl at y pryder dan sylw.

Am wythnos, defnyddiwch gyfnodau pryderu wedi'u rheoli i weld beth sy'n digwydd. Yna ystyriwch beth rydych chi wedi'i ddarganfod.

Yn eich llyfr nodiadau, neu ar ddarn o bapur, ysgrifennwch y pennawd 'Prawf bod modd rheoli pryderu', a rhestrwch eich holl ganfyddiadau. Gallai hyn gynnwys datganiadau fel: 'Weithiau, fe alla i roi'r gorau i bryderu' neu 'Pan fydda i'n brysur, dwi ddim yn pryderu hanner cymaint' neu 'Pan fydda i'n defnyddio cyfnodau pryderu wedi'u rheoli, dwi'n treulio llawer llai o amser yn pryderu yn ystod y dydd'. Gallwch ddefnyddio'r rhestr hon i'ch atgoffa yn y dyfodol.

Dwi'n pryderu bod pryderu'n gwneud niwed

Mae meddyliau fel y canlynol yn achosi gofid i nifer o bobl sydd â phroblemau gorbryder tymor hir:

- 'Dydy pryderu ddim yn normal – mae'n rhaid bod rhywbeth yn bod arna i.'
- 'Gall pryderu fy ngyrru i'n wallgof neu achosi chwalfa nerfol.'
- 'Gall pryderu achosi trawiad ar y galon.'

Mae meddyliau fel hyn yn gwneud eich gorbryder yn waeth. Mae'n bwysig iawn eu hwynebu er mwyn i chi allu meddwl yn fwy realistig am effeithiau pryderu.

Gadewch i ni ddechrau gan ystyried a ydy pryderu'n normal ai peidio.

Dydy pryderu ddim yn normal – mae'n rhaid bod rhywbeth yn bod arna i

Mae pryderu yn normal. Mae'r rhan fwyaf o bobl yn dweud eu bod yn pryderu ac ar ryw adeg yn eu bywydau, mae pryderu yn peri gwewyr iddyn nhw. A dweud y gwir, byddai bron yn amhosib dod o hyd i oedolyn sy'n honni nad yw ef neu hi erioed wedi pryderu.

Ydy hyn yn anodd i chi ei gredu? Os felly, efallai y byddai'n syniad da darganfod drosoch eich hun a ydy'r bobl o'ch cwmpas yn treulio amser yn pryderu. Rhowch gynnig ar yr arbrawf canlynol.

Gofynnwch i bedwar o bobl a ydyn nhw'n pryderu – dau y gallech gredu eu bod yn treulio peth amser yn pryderu, a dau nad ydych yn meddwl eu bod yn pryderu o gwbl (neu ddim yn pryderu llawer).

Ydyn nhw erioed wedi pryderu 'gormod' am rywbeth?

Pryd oedd y tro diwethaf iddyn nhw deimlo eu bod yn pryderu am rywbeth?

Enw	**Beth ddywedon nhw am bryderu**
Joanne	Mae hi'n pryderu bod ei bòs yn credu nad yw hi'n dda yn ei gwaith. Mae hi'n pryderu y gall gael ei diswyddo. Weithiau mae'n pryderu bod ei bòs yn gwybod ei bod yn pryderu am safon ei gwaith. Bore 'ma oedd y tro diwethaf iddi bryderu.

Efallai y cewch eich synnu gan yr hyn rydych chi'n ei ddarganfod! Meddyliwch am yr ymatebion mae pobl yn eu rhoi i chi, a beth mae'r wybodaeth newydd hon yn ei ddweud wrthych chi am ba mor normal yw pryderu.

Ar sail y wybodaeth hon, ysgrifennwch yn eich llyfr nodiadau ddisgrifiad tecach a mwy defnyddiol ynglŷn â pha mor normal yw pryderu.

Daliwch ati i'ch atgoffa'ch hun am hyn, yn enwedig os yw hen bryderon yn codi'u pennau eto. Cofiwch fod newid sut rydych chi'n meddwl am bethau yn cymryd amser ac ymarfer, ond fe allwch chi ei wneud.

Gall pryderu fy ngyrru i'n wallgof neu achosi chwalfa nerfol

Cofiwch fod bron pawb yn pryderu weithiau, a bod y rhan fwyaf o bobl yn dweud bod pryderu, ar ryw adeg, wedi peri gwewyr iddyn nhw. Ydy hyn yn golygu bod gan y rhan fwyaf o bobl broblemau iechyd meddwl? Nac ydy, siŵr iawn. Mae pryderu yn amlwg yn normal, ac nid yw'n arwydd o salwch meddwl na chwalfa nerfol.

Ydy pryderu'n gallu arwain at chwalfa feddyliol? Yr ateb i'r cwestiwn hwn yw 'na'. Mae'n wir ei fod yn gallu gwneud i chi deimlo'n flinedig ac yn anhapus iawn, gan wneud i chi deimlo fel pe baech chi wedi cyrraedd pen eich tennyn, ond y gwir yw, dydy hynny ddim yn digwydd. Dydy'r straen mae pryderu yn ei hachosi ddim yn achosi chwalfa feddyliol chwaith.

Roedd ein cyndeidiau'n byw dan amodau a oedd yn peri llawer mwy o straen, o gymharu â'n hamodau ni, felly pe bai straen yn achosi chwalfa feddyliol, byddai'r hil ddynol wedi hen ddarfod fel rhywogaeth.

Meddyliwch am adegau yn eich bywyd pan oeddech chi'n ofidus ac yn orbryderus iawn. Efallai eich bod ar fin sefyll prawf gyrru, neu'n gorfod rhoi araith mewn priodas fawr. Beth ddigwyddodd? Gawsoch chi chwalfa feddyliol? Naddo.

Yn eich llyfr nodiadau, gan ddefnyddio'r ffeithiau hyn, cofnodwch syniad mwy realistig o effaith pryderu ar iechyd meddwl.

Gall pryderu achosi trawiad ar y galon

Ydy pryderu'n gallu achosi trawiad ar y galon neu wneud niwed i'ch corff mewn rhyw ffordd arall?

Gall symptomau corfforol gorbryder fod yn eithaf anghysurus, a gallech bryderu bod gorbryder yn 'gwneud drwg' i'ch corff. Er hynny, cofiwch fod y symptomau corfforol yn rhan o'r ymateb ymladd neu ffoi (gweler tudalennau 6–8) a'u bwriad yw ysgogi'n corff i'w amddiffyn ei hun. Er ei fod fymryn yn anghyfforddus, mae'r ymateb hwn yn normal ac yn iach.

Mae llawer o'r symptomau corfforol sy'n cael eu profi pan fyddwn ni'n orbryderus yn debyg iawn i'r rhai a gawn ni wrth wneud ymarfer corff. Dydy hyn ddim yn syndod o ystyried bod yr ymateb ymladd neu ffoi yn ddim byd mwy na'ch corff yn eich paratoi ar gyfer ymdrech gorfforol – ac rydyn ni'n gwybod bod ymarfer corff yn llesol ac yn cael ei argymell gan feddygon hyd yn oed!

Yn eich llyfr nodiadau, cofnodwch sylw cywirach am effaith pryderu ar iechyd corfforol.

Meddwl am bryderu mewn ffordd fwy defnyddiol

Nawr, darllenwch bopeth rydych chi wedi'i ysgrifennu sy'n ategu bod pryderu yn normal yn hytrach nag yn niweidiol. Meddyliwch am unrhyw dystiolaeth o blaid ac yn erbyn y gred bod pryderu yn niweidiol. Ar sail y dystiolaeth hon, gallwch grynhoi ffordd fwy defnyddiol o feddwl am bryderu mewn siart, fel yr un sy'n dilyn.

Eich tro chi yw hi nawr. Copïwch benawdau'r ddwy golofn isod ar dudalen newydd yn eich llyfr nodiadau.

O dan bob pennawd, nodwch eich meddyliau negyddol gwreiddiol ynglŷn ag effeithiau pryderu, yna defnyddiwch yr hyn rydych chi wedi'i ddysgu i feddwl am syniadau tecach a mwy defnyddiol ynglŷn ag effeithiau pryderu.

Meddyliau negyddol ynglŷn ag effeithiau pryderu	**Meddyliau tecach a mwy defnyddiol ynglŷn ag effeithiau pryderu**
Dydy pryderu ddim yn normal.	Mae pryderu yn normal – mae pawb yn pryderu weithiau.
Gall pryderu achosi chwalfa feddyliol.	Dydy pryderu ddim yn achosi chwalfa feddyliol – mae'n normal ac nid yw'n niweidiol, er ei fod yn teimlo'n ofnadwy.
Gall pryderu achosi trawiad ar y galon.	Ni fydd pryderu'n achosi trawiad ar y galon. Mae teimlo'n orbryderus yn rhan naturiol ac iach o'r cyflwr dynol. Efallai fod fy nghalon yn curo fel gordd, ond mae'n gwneud yr un peth wrth wneud ymarfer corff.

Efallai y bydd angen i chi ailadrodd yr ymarfer hwn (a'r ymarferion a nodwyd yn gynharach yn yr adran hon) pryd bynnag y byddwch chi'n 'pryderu am bryderu'. Cofiwch ei bod yn rhaid ymarfer newid eich ffordd o feddwl am bethau. Hyd yn oed os nad ydych chi'n credu'n llwyr yn yr hyn rydych chi'n ei ysgrifennu, cofnodwch y pwynt yr un fath. Mae'n cymryd amser i ddod yn gyfarwydd â rhai syniadau, ac fe welwch y bydd syniadau newydd yn edrych yn fwy credadwy wrth i chi edrych arnyn nhw'n ddigon hir, a bydd yr hen rai'n mynd i edrych yn llai realistig.

Strategaethau eraill i helpu i reoli pryderu

Os edrychwn ni ar y math o bethau mae pobl yn pryderu amdanyn nhw, gwelwn eu bod yn tueddu i bryderu am broblemau cyfredol neu sefyllfaoedd damcaniaethol a all ddigwydd rywbryd yn y dyfodol. Pan edrychwch chi ar y cofnodion meddwl rydych chi wedi'u cwblhau (gweler tudalen 40), ar beth rydych chi'n sylwi? Ydych chi'n tueddu i bryderu am broblemau cyfredol yn eich bywyd, neu ydych chi'n canolbwyntio ar broblemau a allai ddigwydd rywbryd yn y dyfodol? Gall yr hyn rydych chi'n pryderu amdano bennu pa strategaeth sydd orau i reoli'r pryder.

Datrys problemau

Os ydych chi'n pryderu am broblemau cyfredol yn eich bywyd, gall fod yn ddefnyddiol i chi gyfnewid pryderu am ddatrys problemau. Gallwch ddelio â phroblemau sy'n digwydd ar hyn o bryd yn eich bywyd drwy wneud rhywbeth, naill ai i ddatrys y broblem neu i ddelio â'i chanlyniadau negyddol. Yn aml, pan fydd pobl yng nghanol cylch dieflig pryderu a gorbryderu, ychydig iawn o amser maen nhw'n ei dreulio yn penderfynu sut fyddan nhw'n datrys problemau. Yn hytrach, maen nhw'n gaeth i hel yr un meddyliau di-fudd drosodd a throsodd. Gall creu cynllun penodol a hwylus i ddatrys problemau, a gwneud rhywbeth yn sgil hynny, fod o gymorth go iawn i leihau gorbryder.

Isod, mae rhestr o'r prif gamau datrys problemau a allai fod yn ddefnyddiol i chi.

Prif gamau datrys problemau

- **Diffiniwch y broblem**. Yn hytrach na hel meddyliau di-ben-draw am y broblem yn eich pen, ceisiwch fod yn benodol. Penderfynwch beth yn union yw'r broblem ac, os yw'n bosib, rhannwch hi'n broblemau llai.
- **Meddyliwch am eich adnoddau a rhestrwch atebion posib**. Ydych chi erioed wedi datrys problem fel hon yn y gorffennol? Oes gennych chi unrhyw gryfderau neu wybodaeth bersonol a allai eich helpu i ddatrys y broblem hon? Oes unrhyw un a allai eich helpu chi? Ar ôl i chi feddwl am y pethau hyn, eisteddwch gyda phapur a phensil a chofnodwch gymaint o ffyrdd o ddatrys y broblem ag y gallwch chi feddwl amdanyn nhw. Peidiwch â phryderu os yw'ch syniadau'n ymddangos yn wirion neu'n annhebygol o weithio – dydych chi ddim ond yn creu syniadau.
- **Dewiswch ateb**. Meddyliwch am fanteision ac anfanteision pob ateb ar eich rhestr. Ystyriwch y tebygolrwydd y byddan nhw'n llwyddo, ond hefyd faint o amser, ymdrech a help gan

eraill y byddai eu hangen arnoch. Yna penderfynwch ar un ateb i geisio'i weithredu. Does dim rhaid i chi ddewis ateb a fydd yn datrys y broblem yn llwyr, cyn belled â'i fod yn eich helpu i symud i'r cyfeiriad iawn.

- **Crëwch gynllun**. Rhannwch yr ateb yn gamau bach, hwylus. Gwnewch bob cam yn benodol iawn – dylai fod yn glir beth yn union mae angen i chi ei wneud ac ym mha drefn. Os yw'ch cynllun yn amwys neu'n anymarferol, bydd yn anodd ei weithredu. Er enghraifft, os mai'ch ateb oedd 'mae angen i mi gael swydd', gallai eich camau ymateb gynnwys 'Cael papur newydd yfory ac edrych ar yr hysbysebion swyddi', 'Diweddaru fy CV fore dydd Mawrth' a 'Gwneud o leiaf un cais erbyn dydd Gwener'. Gofalwch eich bod yn penderfynu pa gamau fydd yn cael y flaenoriaeth.
- **Ewch ati**. Rhowch gynnig ar eich ateb, hyd yn oed os mai dyma ddim ond y cam cyntaf at ddatrys y broblem.
- **Adolygwch y canlyniad**. Os yw'ch ateb yn gweithio, mae hynny'n wych. Llongyfarchwch eich hun a chofiwch y profiad hwn ar gyfer y dyfodol. Os na fydd eich ateb yn datrys y broblem, adolygwch yr hyn a ddigwyddodd. Oes

angen ailweithio'ch cynllun neu a oes angen i chi roi cynnig arall arni? Cofiwch, hyd yn oed os nad ydych chi wedi datrys y broblem eto, rydych chi o leiaf yn ei hwynebu – ac mae hyn yn debygol o'ch helpu i'w datrys yn y dyfodol.

Sgriptiau pryderu

Os ydych chi'n pryderu am broblemau damcaniaethol a all ddigwydd rywbryd yn y dyfodol, gall datrys problemau fod yn anodd. Er enghraifft, waeth faint o ddatrys problemau wnewch chi, fydd hynny byth yn mynd i'r afael â phryder y bydd eich plentyn yn cael damwain car pan fydd yn dechrau gyrru un diwrnod, neu y gall eich cymar ddatblygu salwch difrifol ryw ddiwrnod. Pan fydd pobl yn pryderu am broblemau damcaniaethol yn y dyfodol, maen nhw'n aml yn canolbwyntio ar y canlyniad gwaethaf posib – ond oherwydd bod meddwl am hynny'n brofiad mor annifyr, maen nhw'n ei wthio o'r neilltu yn gyflym. Fel rydyn ni wedi'i drafod eisoes (ydych chi'n cofio'r eliffant pinc?), dydy hyn ddim yn gweithio'n dda iawn, ac fel arfer, mae'r syniad yn codi ei ben eto.

Yn ddiddorol, mae ymchwilwyr wedi sylweddoli bod y duedd i bryderu yn lleihau pan fydd pobl yn wynebu'r mathau hyn o bryderon. Mae defnyddio sgript pryderu yn ffordd dda o wneud hyn. Gyda sgript pryderu, rydych chi'n cofnodi holl fanylion y sefyllfa ofidus ddamcaniaethol, gan gynnwys popeth rydych chi'n ofni a all ddigwydd a sut rydych chi'n meddwl y byddech chi'n teimlo. Dyma'r gwrthwyneb yn llwyr i osgoi pryderu a'r emosiynau negyddol sy'n cyd-fynd â hynny – yn hytrach, mae'r broses o ysgrifennu sgript pryderu yn eich annog i wynebu'ch ofnau, i feddwl sut beth yn union yw'r canlyniad rydych chi'n ei ofni, a phrofi'r emosiynau negyddol sy'n gysylltiedig ag ef.

Gall hyn swnio'n ofnadwy, ond mae ymchwilwyr wedi dod i ddeall bod pryder a gorbryder yn dechrau lleihau os yw'r broses yma'n cael ei hailadrodd sawl gwaith. Os rhowch chi'r gorau i wthio'r pryder o'r neilltu, bydd yn peidio â gwthio'i ffordd yn ôl i'ch meddwl. Mae wynebu'ch ofn hefyd yn gwanhau ei nerth, ac yn rhoi cyfle i chi gymryd golwg wrthrychol ar eich pryderon.

Sut i ysgrifennu sgript pryderu

- Rhowch o leiaf ugain munud o'r neilltu i gwblhau sgript pryderu.
- Penderfynwch ar ba bryder y byddwch chi'n canolbwyntio.
- Ysgrifennwch yn union beth rydych chi'n pryderu fydd yn digwydd. Dychmygwch y senario waethaf un a beth fyddai'n ei olygu. Cofiwch fynd i fanylder – disgrifiwch bob agwedd ar y canlyniad sy'n codi ofn arnoch chi, gan gynnwys

sut rydych chi'n meddwl y byddech chi'n teimlo ac yn ymdopi.

- Os ydych chi'n teimlo'n bryderus neu'n ofidus wrth i chi wneud hyn – rydych chi'n ei wneud yn iawn! Cofiwch fod yr ymarfer hwn wedi'i gynllunio i'ch helpu chi i reoli eich gorbryder a'ch pryder yn y tymor hir. Bydd hyn yn anodd ar y dechrau.
- Gwnewch yr ymarfer eto bob dydd am bythefnos. Ysgrifennwch sgript pryderu newydd am yr un pryder bob dydd.
- Ar ddiwedd pythefnos, sylwch sut rydych chi'n teimlo wrth ysgrifennu'ch sgript pryderu. Ydych chi'n teimlo mor annifyr a gorbryderus ag roeddech chi'r tro cyntaf? Beth sydd wedi digwydd i'ch pryderu dyddiol chi am yr un pwnc?

Mae rhai pobl yn pryderu y gall cofnodi eu pryder, neu feddwl amdano'n fanwl iawn, wireddu'r pryder. DYDY MEDDWL NEU YSGRIFENNU AM RYWBETH DDIM YN EI WIREDDU. Pe bai hynny'n wir, byddai meddwl am beth fyddech chi'n ei wneud pe baech yn ennill y loteri yn golygu y byddech chi'n ennill y loteri.

5

Rheoli gorbryder drwy newid ymddygiad

Mae gorbryder yn tueddu i gael effaith sylweddol ar ymddygiad. Yn aml iawn, mae pobl yn gwneud pethau i leihau teimladau gorbryderus annymunol, fel osgoi sefyllfaoedd sy'n ysgogi gorbryder neu eu gadael, neu ymddwyn mewn ffordd sy'n gwneud iddyn nhw deimlo ychydig yn fwy diogel yn y sefyllfaoedd hynny (fel ymgolli yn eu ffôn symudol). Mae eraill yn gwneud pethau i geisio lleihau ansicrwydd mewn sefyllfaoedd. Yr un nod sydd i bob un o'r ymddygiadau hyn, sef lleihau gorbryder. Mae'n bosib eu bod yn cynnig rhywfaint o ryddhad dros dro, ond yn y pen draw, y cyfan maen nhw'n ei wneud yw cynnal cylch dieflig gorbryder. Os ydych chi wir eisiau rheoli'ch gorbryder, mae'n bwysig bwrw golwg ofalus ar sut mae'ch ymddygiad yn cyfrannu at y broblem ac yna ei newid er gwell.

Goresgyn ymddygiadau osgoi a diogelu

Yn y tymor hir, mae osgoi yn gwneud gorbryder yn waeth.

Pan fyddwch chi'n teimlo'n orbryderus, rydych chi fel arfer yn dymuno dianc rhag y sefyllfa anodd cyn gynted â phosib neu wneud rhywbeth i wneud y sefyllfa'n fwy diogel. Mewn sefyllfa wirioneddol beryglus, byddai'r ymateb hwn yn eithaf synhwyrol. Byddech yn dianc, neu'n amddiffyn eich hun rhag perygl, a byddai'r ymateb gorbryderus yn diflannu'n raddol. Yn yr un modd, mae'n debyg y byddai'n ddefnyddiol i chi osgoi sefyllfaoedd tebyg neu ddefnyddio strategaethau tebyg i 'aros yn ddiogel' yn y dyfodol.

Mae problemau'n dechrau pan fyddwn yn ceisio dianc rhag sefyllfaoedd nad ydyn nhw mewn gwirionedd yn beryglus, neu eu hosgoi. Mwya'n byd y gwnawn ni hyn, mwya'n byd y byddwn yn atgyfnerthu'r syniad bod rhywbeth i'w ofni. Yn y tymor hir, mae hyn yn golygu ein bod yn mynd yn fwyfwy ofnus o bethau. Dydyn ni byth yn darganfod nad oedd y sefyllfa mor ddrwg â hynny, neu y gallem fod wedi ymdopi â hi.

Dydy ymddygiadau diogelu ddim yn eich gwneud chi'n ddiogel. Mae'r awydd i wneud i sefyllfa frawychus deimlo'n fwy diogel yn ymateb hollol naturiol. Dyma pam mae pobl yn tueddu i ddefnyddio ymddygiadau diogelu. Er enghraifft, gallai rhywun sy'n gweld bod partïon neu ddigwyddiadau cymdeithasol eraill yn peri gorbryder aros yn agos at ffrind neu bartner, neu osgoi dweud llawer o ddim byd, neu yfed ychydig yn fwy na'r arfer, neu gadw'n brysur drwy helpu i baratoi'r bwyd.

Gall osgoi neu ddianc rhag sefyllfaoedd sy'n sbarduno gorbryder, neu ddefnyddio ymddygiadau diogelu i reoli pryder, wneud i chi deimlo'n well yn y tymor byr. Ond os defnyddiwch chi'r strategaethau yma'n rheolaidd yn y tymor hir, bydd yr ofnau'n cynyddu a bydd wynebu'r sefyllfa benodol yn mynd yn anoddach. Bob tro y byddwch yn osgoi neu'n dianc rhag y sefyllfa neu'n defnyddio ymddygiadau diogelu, rydych yn anfon neges negyddol. Gallai'r neges ddweud: 'Yr unig reswm na ddigwyddodd dim byd ofnadwy yw am na wnes i e', neu 'Fe wnes i lwyddo i adael mewn pryd', neu 'Yr unig reswm na wnes i roi fy nhroed ynddi yw am 'mod i wedi aros wrth ymyl fy ngwraig ac mai hi wnaeth y siarad i gyd'.

Dros amser, mae nifer y sefyllfaoedd sy'n achosi gorbryder yn tueddu i gynyddu ac mae'n dod yn fwyfwy anodd i fyw bywyd 'normal'. I leihau gorbryder yn y tymor hir, mae'n bwysig torri'r patrwm cyn gynted â phosib.

Adnabod y broblem

Y cam cyntaf yw penderfynu a ydych yn osgoi sefyllfaoedd penodol neu'n dianc rhagddyn nhw, ac a ydych chi'n defnyddio ymddygiadau diogelu. Gofynnwch y cwestiynau canlynol i chi'ch hun:

- Pa sefyllfaoedd rydw i'n eu hosgoi am eu bod nhw'n gwneud i fi deimlo'n orbryderus?
- Ydw i byth yn gadael sefyllfaoedd neu

weithgareddau am fy mod i'n teimlo'n orbryderus? Os felly, pa fath o sefyllfaoedd?

- Ydw i'n defnyddio 'triciau' i wneud i mi deimlo'n fwy cyfforddus mewn sefyllfaoedd sy'n peri gorbryder? Os felly, pa driciau rydw i'n eu defnyddio?

I grynhoi, ceisiwch wneud dwy restr:

1. Pethau rydych chi wedi bod yn eu hosgoi, yr hoffech chi ddechrau eu gwneud eto
2. Ymddygiadau diogelu rydych chi wedi bod yn eu defnyddio ond eisiau rhoi'r gorau iddyn nhw.

Gofyn 'pam?' i chi'ch hun

Yn aml iawn, mae pobl yn osgoi, neu'n dianc rhag sefyllfaoedd am eu bod nhw'n meddwl y bydd rhywbeth yn mynd o'i le. Er enghraifft, efallai y byddai rhywun a oedd yn osgoi mynd i barti'n meddwl: 'Efallai y gwna i feddwi a chodi cywilydd arnaf fi fy hun' neu 'Beth os wna i ddweud rhywbeth gwirion a phawb yn chwerthin ar fy mhen?'

Gofynnwch i chi'ch hun: 'Pam dwi'n osgoi'r sefyllfa hon?' a 'Beth ydw i'n poeni fydd yn digwydd?' a chofnodwch eich ateb yn eich llyfr nodiadau.

Rydyn ni fel arfer yn defnyddio ymddygiadau diogelu am ein bod ni'n credu y byddan nhw rywsut yn atal rhywbeth rhag mynd o'i le. Er enghraifft, gallai rhywun sy'n meddwl, 'Os ydw i'n dechrau siarad, efallai y bydda i'n dweud rhywbeth o'i le' o bosib ddefnyddio ymddygiad diogelu fel peidio â siarad mewn parti. Neu efallai y bydd rhywun a oedd yn meddwl, 'Fydd neb eisiau siarad â fi ac fe fydda i'n sefyll mewn cornel ar fy mhen fy hun' yn penderfynu defnyddio ymddygiad diogelu fel glynu'n agos at bartner neu ffrind.

Gofynnwch i chi'ch hun: 'Pam ydw i'n defnyddio'r ymddygiad diogelu yma?' a 'Beth ydw i'n poeni fydd yn digwydd os na fydda i'n ei ddefnyddio?', a chofnodwch eich atebion.

Mae osgoi sefyllfaoedd a defnyddio ymddygiadau diogelu yn golygu nad ydych yn cael cyfle i ddarganfod a oes cyfiawnhad dros eich ofnau ai peidio. Ond os ydych chi'n herio'ch hun i wynebu'r sefyllfa a chael gwared ar yr ymddygiadau diogelu, gallwch ddod i wybod y gwir – sydd yn aml yn well o lawer na'r disgwyl. Gall hyn eich helpu i feddwl am bethau mewn ffordd decach a mwy realistig, a lleihau gorbryder yn y tymor hir.

Rhoi'r gorau i ymddygiadau osgoi a defnyddio llai ar eich ymddygiadau diogelu

Nawr mae'n bryd i chi brofi'ch meddyliau mwy realistig am eich gorbryderon drwy wneud y pethau rydych chi wedi bod yn eu hosgoi a thrwy leihau'ch ymddygiad diogelu yn raddol. Pan fyddwch chi'n bwriadu gwneud y newidiadau hyn, ystyriwch yr awgrymiadau canlynol:

- Peidiwch â phoeni os ydych chi'n teimlo'n orbryderus ar y dechrau pan fyddwch chi'n wynebu sefyllfa anodd – mae hynny'n normal.
- Symudwch ar eich cyflymder eich hun. Dechreuwch gyda chamau bach a gweithiwch i fyny at y pethau gwirioneddol 'ddychrynllyd' rydych chi wedi bod yn eu hosgoi.
- Does dim rhaid cael gwared ar eich holl ymddygiadau diogelu ar yr un pryd – cymerwch eich amser gan gael gwared ar un ar y tro. Gall gymryd peth amser, ond bydd yn gwneud pethau'n haws os ydych chi'n gwneud hyn gan bwyll bach.
- Fydd y gorbryder ddim yn diflannu ar unwaith – bydd yn cymryd peth amser. Po hiraf yr arhoswch chi mewn sefyllfa benodol, mwyaf tebygol yw hi y bydd eich gorbryder yn lleihau.
- Peidiwch â disgwyl i'ch holl orbryder ddiflannu unwaith y byddwch chi wedi wynebu sefyllfa, neu unwaith i chi gael gwared ar ymddygiad diogelu. Os ydych chi wedi bod yn osgoi'r

sefyllfa honno neu'n defnyddio ymddygiad diogelu penodol am gyfnod, mae'n debyg y bydd yn cymryd amser a sawl ymdrech i gael gwared ar y gorbryder yn llwyr. Mwya'n byd y byddwch chi'n ymarfer, lleiaf pryderus fyddwch chi'n teimlo.

Rhowch hwb i'ch hyder drwy gadw golwg ar eich cynnydd – gwnewch gofnod o bopeth rydych chi'n rhoi cynnig arno, a'r canlyniadau. Mae hyn yn golygu, pan fyddwch chi'n gwneud rhywbeth y buoch chi'n ei osgoi o'r blaen, neu os ydych chi'n cael gwared ar ymddygiad diogelu, y dylech roi sylw i'r hyn sy'n digwydd. A ddigwyddodd y peth roeddech chi'n ei ofni neu oedd popeth yn iawn? Dyma enghraifft.

Beth wnes i	**Beth roeddwn i'n poeni fyddai'n digwydd**	**Beth ddigwyddodd mewn gwirionedd?**
Fe es i i barti.	Roeddwn i'n pryderu y byddwn i'n nerfus ac yn dweud rhywbeth gwirion, neu na fyddai gen i ddim byd diddorol i'w ddweud.	Roeddwn i'n teimlo'n nerfus, ond roedd yn braf gweld fy ffrindiau. Sylweddolais fod gen i bethau i sôn amdanyn nhw ac roeddwn i'n teimlo'n fwy cyfforddus wrth i'r noson fynd yn ei blaen.

Fe wnes i drio cymysgu â phobl.	Roeddwn i'n pryderu y byddwn yn sefyll ar fy mhen fy hun ac y byddai pobl yn meddwl beth roeddwn i'n ei wneud, neu pe bai rhywun yn siarad â mi, na fyddwn i'n gallu meddwl am ddim byd i'w ddweud.	Fe lwyddais i siarad ag ambell un arall a wnes i ddim treulio'r noson yn sefyll ar fy mhen fy hun. Roeddwn i'n gallu sgwrsio, er nad oedd fy mhartner yno i'm cefnogi.
Fe siaradais mewn cyfarfod a gwneud sylw ar gynnig rhywun (fel arfer, fydda i ddim yn dweud dim!).	Roeddwn i'n pryderu na fyddai neb yn cymryd unrhyw sylw, neu'n waeth fyth, y byddai pawb yn edrych arna i fel pe bawn i'n hollol dwp.	Roedd y person a wnaeth y cynnig yn edrych fymryn yn flin (neu wedi synnu, efallai?) am eiliad, ond wedyn dywedodd fod gen i bwynt.

Ar dudalen newydd o'ch llyfr nodiadau, copïwch benawdau'r colofnau hyn i lunio siart i gofnodi'r newidiadau yn eich ymddygiad, yr hyn roeddech chi'n pryderu amdano, a'r canlyniad gwirioneddol.

Bydd gweld pethau ar ddu a gwyn fel hyn yn help i chi feddwl am bethau mewn ffordd deg a realistig. Ond cofiwch efallai na fydd pethau bob amser yn mynd yn dda – dyna ydy bywyd, ac mae pawb yn cael adegau pan nad yw pethau'n mynd yn ôl y bwriad! Ond er efallai na fydd rhywbeth yn gweithio'n iawn ar un achlysur, dydy hynny ddim yn golygu na fydd yn gweithio dro arall. Daliwch ati i drio – bydd hyn yn eich helpu i fagu hyder yn eich gallu i reoli sefyllfaoedd, hyd yn oed pan nad yw pethau'n mynd yn berffaith.

Ar ôl i chi roi cynnig ar rai o'r pethau y buoch chi'n eu hosgoi, neu wedi i chi gael gwared ar rai ymddygiadau diogelu, efallai y byddai'n werth dychwelyd at yr ymarferion herio meddyliau ar dudalennau 41–8 a'u gwneud eto, gan ddefnyddio'r profiadau newydd sydd gennych chi erbyn hyn.

Bydd goresgyn eich arferion osgoi a chael gwared ar eich ymddygiadau diogelu yn waith caled a bydd bron yn sicr yn gwneud i chi deimlo'n orbryderus ar adegau. Wedi'r cyfan, rydych chi'n newid arferion sydd wedi bod gennych chi o bosib ers talwm iawn, arferion a fwriadwyd i'ch gwneud yn llai gorbryderus! Felly pan fyddwch chi'n dechrau gwneud pethau mewn ffordd wahanol, mae'n debygol iawn y byddwch chi'n teimlo rhywfaint o orbryder, yn enwedig i ddechrau. Bydd angen cryn dipyn o ddewrder arnoch i ymdopi â'r gorbryder hwn. Ond cofiwch: efallai fod y gorbryder yn annifyr, ond ni fydd yn eich niweidio chi, ac os ydych chi'n dyfalbarhau i ddilyn y rhaglen hon, bydd yn dechrau gwella. Felly peidiwch â digalonni! Darllenwch eto yr adrannau hynny a'ch helpodd fwyaf, ac ewch ati i wneud rhai o'r ymarferion herio meddyliau eto. Ymfalchïwch yn yr hyn rydych chi wedi'i gyflawni hyd yma.

Newid ymddygiad er mwyn gallu goddef ansicrwydd yn well

Yn aml, mae pobl sy'n cael trafferth gyda gorbryder yn cael anhawster delio â sefyllfaoedd lle maen nhw'n teimlo'n ansicr ynglŷn â'r canlyniad. Er mwyn helpu i ddelio â hyn, maen nhw'n aml yn troi at ymddygiad roedden nhw wedi gobeithio fyddai'n lleihau'r ansicrwydd, neu'n ei osgoi'n llwyr. Fel y trafodwyd ym Mhennod 1, Sut mae gorbryder yn effeithio ar eich ymddygiad?, mae rhai enghreifftiau o hyn yn cynnwys:

- Chwilio am sicrwydd – gofyn i eraill dro ar ôl tro a ydyn nhw'n cytuno â chi, neu ofyn eu barn.
- Gofyn i eraill benderfynu – gan osgoi'r cyfrifoldeb am wneud penderfyniad rhag ofn ei fod yn anghywir, hyd yn oed am rywbeth dibwys fel dewis cinio.
- Siecio – (a siecio eto!) – gall hyn gynnwys siecio diogelwch pobl eraill neu ble maen nhw (e.e. ffonio neu anfon negeseuon testun) neu gadw llygad ar negeseuon e-bost i sicrhau nad oes 'newyddion drwg'.
- Paratoi'n ormodol – treulio gormod o amser o lawer yn ymchwilio i benderfyniadau neu'n llunio rhestrau o bethau i'w gwneud.

Mae'r strategaethau hyn yn debyg ar lawer ystyr i ymddygiadau diogelu ac osgoi. Eu bwriad yw lleihau gorbryder (drwy geisio osgoi teimlad o ansicrwydd). Yn aml, maen nhw'n golygu osgoi sefyllfaoedd ansicr yn gyfan gwbl neu ymddwyn mewn ffordd a fwriadwyd i leihau teimladau o ansicrwydd. Dydy'r strategaethau hyn ddim yn gweithio yn y tymor hir. Os ydych chi'n meddwl am y peth go iawn, a allwch chi osgoi ansicrwydd mewn gwirionedd? Na allwch, yn ôl pob tebyg, oni bai fod gennych chi belen grisial! Mae'n amhosib osgoi ansicrwydd mewn bywyd. Yn hytrach na cheisio ei osgoi (cofiwch, mae osgoi'n tueddu i wneud gorbryder yn waeth yn y tymor hir), gall dysgu sut i'w oddef yn well fod yn llawer mwy defnyddiol.

Yn debyg iawn i lawer o'r strategaethau eraill sy'n cael eu trafod yn y llyfr hwn, y gamp yw ei wynebu. I oddef ansicrwydd yn well, bydd angen i chi roi eich hun mewn sefyllfaoedd sy'n gwneud i chi deimlo'n ansicr (neu roi'r gorau i ddefnyddio ymddygiadau sy'n gwneud i chi deimlo'n fwy sicr pan fyddwch chi'n cael eich hun yn y sefyllfaoedd hyn – dim ond math arall o ymddygiad diogelu yw hwn).

Y cam cyntaf yw ystyried a yw'ch ymddygiad mewn unrhyw ffordd yn cynnwys chwilio am sicrwydd, gofyn i eraill benderfynu, siecio, neu baratoi eithafol.

Ysgrifennwch unrhyw enghreifftiau y gallwch chi feddwl amdanyn nhw.

Y cam nesaf yw rhoi'r gorau'n fwriadol i wneud y pethau hyn. Ydych chi'n ansicr pa bâr o esgidiau i'w prynu? Peidiwch â gofyn am farn neb arall – gorfodwch eich hun i benderfynu ar eich pen eich hun. Methu penderfynu pa ffilm i fynd i'w gweld? Peidiwch â gofyn i'ch ffrind benderfynu – rhowch eich barn. Ydy'ch cymar bum munud yn hwyr yn dod adref? Peidiwch â'i ffonio i weld a yw e neu hi'n iawn. Ydych chi'n treulio gormod o amser yn llunio rhestrau? Gorfodwch eich hun i fynd i siopa heb restr.

Ar ôl i chi gwblhau un o'r tasgau hyn, cofnodwch beth wnaethoch chi yn eich llyfr nodiadau. Yna cofnodwch beth ddigwyddodd. Oedd popeth yn iawn yn y pen draw? Os aeth rhywbeth o le, beth wnaethoch chi i ymdopi? Wnaethoch chi lwyddo i ymdopi? Cofiwch, mae bywyd yn ansicr – mae pethau'n mynd o chwith weithiau. Ond efallai y byddech chi'n gallu ymdopi'n well nag yr oeddech chi'n ei feddwl.

6

Aros gam ar y blaen

Bydd angen gwneud tipyn o waith i reoli gorbryder fel arfer. Mae ymarfer yn bwysig. Ond bydd y gwaith caled yn talu ar ei ganfed. Gall cynnydd fod yn araf, yn enwedig i ddechrau, felly mae cadw golwg ar sut rydych chi'n dod yn eich blaen yn syniad da. Er enghraifft, efallai y byddwch am gofnodi'ch sgôr gorbryder bob dydd neu bob wythnos (o 0 i 100 y cant) neu amcangyfrif o'r amser a dreulioch yn pryderu, fel y gallwch chi weld gwelliant wrth i amser fynd yn ei flaen. Os ydych chi'n sylwi ar lwyddiannau, hyd yn oed rhai bach, mae'n bwysig eich llongyfarch eich hun. Cofiwch fod eich meddyliau yn bwysig iawn. Does dim unrhyw fudd mewn meddwl 'Fe ddylwn i fod wedi gwneud yn well' neu 'Fe allai unrhyw un wneud hynny'. Anogwch eich hun, yn union fel y byddech chi'n annog rhywun arall.

Mae pawb yn cael dyddiau da a dyddiau drwg. Bydd lefel eich gorbryder yn uchel ambell ddiwrnod, ac yn isel ar ddyddiau eraill. Gall tasg sy'n ymddangos yn hawdd un diwrnod deimlo'n anodd drannoeth. Dydy cael 'diwrnod gwael' ddim yn golygu nad ydych chi'n gwella neu na fyddwch chi byth yn gwella. Dylech ddisgwyl baglu o dro i dro. Yn wir, gellir ystyried bod 'diwrnod gwael' yn gyfle da i ymarfer eich technegau newydd!

Mae gorbryder yn normal ac mae'n afresymol disgwyl bywyd cwbl ddibryder – mae pawb yn profi gorbryder o bryd i'w gilydd, ac mae pawb yn cael cyfnodau pan fyddan nhw'n pryderu gormod. Fodd bynnag, mae'n rhesymol ceisio rheoli gorbryder yn fwy effeithiol a bwrw ymlaen â'ch bywyd, ac ymdopi â throeon amrywiol bywyd fel maen nhw'n dod.

Yn olaf, gall fod yn ddefnyddiol iawn cofnodi'r pethau pwysicaf i chi eu dysgu. Dylech hefyd ystyried unrhyw anawsterau rydych chi'n amau allai godi yn y dyfodol, a chofnodi syniadau ar gyfer ymdrin â'r problemau hyn. Isod, mae rhestr o gwestiynau y gallwch eu defnyddio i'ch helpu i gadw trefn ar eich syniadau. Cadwch eich gwaith ysgrifenedig gyda'r llyfr hwn, a chyfeiriwch yn ôl ato o bryd i'w gilydd neu pan fyddwch chi'n dechrau teimlo'n orbryderus.

Crynhoi a pharatoi ar gyfer y dyfodol

- Beth oedd y strategaeth fwyaf defnyddiol i'm helpu i reoli fy ngorbryder?
- A oes unrhyw beth arall wedi bod yn ddefnyddiol?
- A oes unrhyw beth y dylwn i barhau i'w wneud i reoli fy lefelau gorbryder?
- Wrth edrych i'r dyfodol, a oes unrhyw ddigwyddiadau neu sefyllfaoedd a allai fy arwain i deimlo'n orbryderus? Os felly, beth ydyn nhw?
- Beth ddylwn i ei wneud i helpu i reoli fy ngorbryder yn y sefyllfaoedd hyn?
- Ar adegau pan fydd fy ngorbryder yn cynyddu, beth yw'r pethau pwysicaf i'w cofio?

Pethau eraill a allai helpu

Mae'r llyfr hwn wedi cynnig i chi gyflwyniad i broblemau gorbryder a'r hyn allwch chi ei wneud i'w goresgyn. Bydd rhai pobl yn gweld mai dyma'r cyfan y bydd angen iddyn nhw ei wneud er mwyn gweld gwelliant mawr, ond bydd eraill yn teimlo bod angen ychydig rhagor o wybodaeth a chymorth arnyn nhw. Os felly, mae rhai llyfrau hunangymorth hirach a mwy manwl ar gael. Gwelwyd bod defnyddio llyfrau hunangymorth, yn enwedig y rhai sy'n seiliedig ar therapi ymddygiad gwybyddol (CBT), yn arbennig o effeithiol wrth drin problemau gorbryder. Holwch eich meddyg teulu am y cynllun Llyfrau ar Bresgripsiwn. Rydyn ni hefyd yn argymell y llyfrau canlynol:

Overcoming Anxiety gan Helen Kennerley, cyhoeddwyd gan Robinson

The Complete CBT Handbook for Anxiety, golygwyd gan Roz Shafran, Lee Brosan a Peter Cooper, cyhoeddwyd gan Robinson

The Anxiety and Phobia Workbook gan Edmund J. Bourne, cyhoeddwyd gan New Harbinger Publications

How to Stop Worrying gan Frank Tallis, cyhoeddwyd gan Sheldon Press

Mind Over Mood gan Dennis Greenberger a Christine A. Padesky, cyhoeddwyd gan Guilford Press

Weithiau, mae'r dull hunangymorth yn gweithio'n well os oes gennych chi rywun yn eich cefnogi. Gofynnwch i'ch meddyg teulu a oes unrhyw un yn y feddygfa a fyddai'n gallu mynd drwy eich llyfr hunangymorth gyda chi.

Mae'n bosib na fydd y dull hunangymorth yn ddigon i rai. Os yw hyn yn wir yn eich achos chi, peidiwch â digalonni – mae mathau eraill o gymorth ar gael.

Siaradwch â'ch meddyg teulu – gwnewch apwyntiad i drafod y triniaethau gwahanol sydd ar gael i chi. Gall eich meddyg teulu eich atgyfeirio at therapydd y Gwasanaeth Iechyd Gwladol (GIG) ar gyfer therapi ymddygiad gwybyddol – mae CBT ar gael drwy'r GIG yn y rhan fwyaf o leoedd erbyn hyn, er y gall y rhestr aros hir fod yn hir. Peidiwch â digalonni os nad yw gweithio drwy lawlyfr hunangymorth yn seiliedig ar CBT wedi bod yn addas ar eich cyfer chi – gall siarad â therapydd wneud gwahaniaeth mawr. Os nad oes therapydd y GIG ar gael yn eich ardal chi, neu os byddai'n well gennych chi beidio ag aros i weld un, gofynnwch i'ch meddyg teulu argymell therapydd preifat.

Er bod CBT yn cael ei argymell yn aml ar gyfer gorbryder, mae sawl math arall o therapi y gallech eu trafod â'ch meddyg teulu hefyd.

Gall meddyginiaeth fod yn ddefnyddiol iawn i rai, a gall cyfuniad o feddyginiaeth a therapi seicolegol weithio'n rhyfeddol weithiau. Fodd bynnag, mae angen i chi drafod y math hwn o driniaeth ac unrhyw sgileffeithiau posib â'ch meddyg er mwyn penderfynu a yw'n addas i chi.

Mae'r sefydliadau canlynol yn cynnig help a chyngor ynghylch problemau gorbryder ac efallai y byddan nhw'n ffynonellau gwybodaeth defnyddiol:

Anxiety Care UK
E-bost: recoveryinfo@anxietycare.org.uk
Gwefan: www.anxietycare.org.uk

British Association for Behavioural and Cognitive Psychotherapies (BABCP)
Manylion cyswllt ar gyfer therapyddion GIG a phreifat yn eich ardal.
Ffôn: 0330 320 0851
E-bost: babcp@babcp.com
Gwefan: www.babcp.com

Mind Cymru
Ffôn: 029 2039 5123
Gwefan: www.mind.org.uk

No Panic UK
Llinell gymorth: 0844 967 4848
E-bost: info@nopanic.org.uk
Gwefan: www.nopanic.org.uk

Cyflwyniad i Ymdopi ag Iselder

2il Argraffiad

Lee Brosan a Brenda Hogan

ISBN: 978 1 78461 764 6

Mae ap Overcoming ar gael nawr ar iTunes a Google Play Store

Cymorth ymarferol ynghylch goresgyn iselder a hwyliau isel

Iselder yw'r cyflwr iechyd meddwl amlycaf ledled y byd, ac mae'n effeithio ar filiynau o bobl bob blwyddyn. Ond gellir ei drin yn effeithiol gyda therapi ymddygiad gwybyddol (CBT: *cognitive behavioural therapy*).

Mae'r llyfr rhagarweiniol hwn, gan ymarferwyr profiadol, yn egluro beth yw iselder a sut mae'n gwneud i chi deimlo. Bydd yn eich helpu i ddeall eich symptomau ac mae'n ddelfrydol fel strategaeth ymdopi uniongyrchol ac fel rhagarweiniad i therapi llawnach.

Byddwch yn dysgu:

- Sut mae iselder yn datblygu a beth sy'n ei gynnal
- Sut i adnabod a herio meddyliau sy'n cynnal eich iselder
- Sgiliau datrys problemau a meddwl cytbwys

Goresgyn Gorbryder

2il Argraffiad

Helen Kennerley

Dysgwch sut i feistroli'ch gorbryder drwy ddefnyddio technegau cydnabyddedig

Rydyn ni i gyd yn gwybod sut deimlad yw gorbryder: mae'n rhan anochel o fywyd. I rai, fodd bynnag, gall pyliau o banig, ffobiâu, obsesiynau neu bryderon cyson gael effaith ddinistriol ar ein hunanhyder, ein perthnasoedd a'n lles cyffredinol.

Mae'r canllaw hunangymorth hwn yn dangos i chi sut i ddefnyddio therapi ymddygiad gwybyddol (CBT) i reoli'ch gorbryderon. Dangoswyd bod CBT yn effeithiol iawn wrth drin gorbryder a bydd yn eich helpu i ddeall beth sydd wedi'i achosi, beth sy'n ei gynnal ac, yn hollbwysig, sut mae adfer rheolaeth.

Mae'r argraffiad diwygiedig hwn:

- Yn dynodi datblygiadau diweddar yn ein dealltwriaeth o orbryder
- Yn cynnwys sawl enghraifft ddefnyddiol o reoli gorbryder ar waith